MODIGLIANI

Revolution des Primitivismus

MODIGLIANI

Revolution des Primitivismus

Herausgegeben von Marc Restellini

Mit einem Vorwort von Klaus Albrecht Schröder
und Texten von Friedrich Teja Bach, Juliette Pozzo
und Marc Restellini

ALBERTINA HIRMER

Diese Ausstellung wurde mit außerordentlicher Unterstützung des Musée National Picasso-Paris realisiert.

Vorwort

Anlässlich der hundertsten Wiederkehr von Amedeo Modiglianis Todestag gedenkt die Albertina diesem bedeutenden Künstler des 20. Jahrhunderts mit einer umfassenden Ausstellung. Diese ist Teil der Reihe von Ausstellungen der Albertina zu bahnbrechenden Künstlern der klassischen Moderne. Sie widmet sich einmal mehr einem Künstler, der mit einem Hauptwerk in der Sammlung der Albertina vertreten ist, dem 1918 im Exil in Nizza gemalten *Weiblichen Halbakt* aus der Sammlung Batliner (Kat. 71).

Die ursprünglich für das Jubiläumsjahr 2020 geplante Schau mit Leihgaben aus drei Kontinenten musste wie so viele andere aufgrund der Restriktionen in Zusammenhang mit der Covid-19-Pandemie um ein Jahr verschoben werden. Es freut mich daher ganz besonders, dass diese große, Amedeo Modigliani gewidmete Jubiläumsausstellung der Albertina nun im Herbst und Winter 2021 stattfinden kann.

Allen Leihgebern, allen voran der Stiftung Jonas Netter, der Familie Paul Alexandre, vertreten durch Nathanson Fine Art, London, dem Metropolitan Museum of Art, New York, dem Museum of Modern Art, New York, dem Philadelphia Museum of Art, dem Minneapolis Institute of Art, dem Musée National Picasso-Paris sowie allen anderen Museen wie Privatsammlern, die nicht genannt werden möchten, sei hier zuallererst mein tiefster Dank dafür ausgesprochen, dass Sie uns inmitten dieser Krise unterstützt, unsere Leihgaben vorbereitet haben und sie uns nun für die neuen Ausstellungsdaten zur Verfügung stellen.

1920 starb Modigliani mit nur fünfunddreißig Jahren an tuberkulöser Meningitis. Er ist einer der berühmtesten jung verstorbenen Künstler – wie Raffael, den mit siebenunddreißig Jahren die Pest dahinraffte, wie Schiele, der mit achtundzwanzig Jahren der Spanischen Grippe erlag, oder wie Keith Haring, der mit nur zweiunddreißig Jahren an Aids verstarb. Trotz der kurzen Zeit, die ihnen blieb, schufen sie Herausragendes für die Geschichte der Kunst und zählen zu den Bahnbrechern der Kunstgeschichte.

Modiglianis früher Tod ist gleichzeitig auch einer der tragischsten, den die Kunstgeschichte kennt: Überraschend starb er am 24. Januar 1920 im Pariser Hôpital de la Charité an der Schwindsucht – der epidemischen Krankheit des 19. Jahrhunderts. Sie besiegte ihn plötzlich, nachdem er der Tuberkulose, die ihn während seines gesamten kurzen Lebens einige Male heimsuchte, bis dahin stets widerstanden hatte. Jeanne Hébuterne, die als unverheiratete Mutter seiner erst vierzehn Monate alten Tochter von ihrer Familie verstoßen wurde, starb zwei Tage nach Modigliani, nachdem sie sich, im achten Monat abermals schwanger, von der Wohnung ihrer Eltern im obersten Stockwerk eines Hauses in der Rue Amyot hinter dem Panthéon in Paris in den Tod gestürzt hatte. Einen Tag später wurde Modigliani am Cimetière du Père-Lachaise begraben. Alle seine Freunde begleiteten ihn auf seinem letzten Weg, die angesehensten Künstler des Montmartre und des Montparnasse: Pablo Picasso, Constantin Brancusi, André Derain, Max Jacob, Moïse Kisling, Jacques Lipchitz, der zuvor die Totenmaske des Verstorbenen genommen hatte, André Salmon, Chaïm Soutine und Maurice de Vlaminck. Ganz Montparnasse beklagte den frühen Tod »seines Prinzen«. Erst 1930 wird Jeanne Hébuternes Leichnam exhumiert und an Modiglianis Seite begraben.

Es freut mich sehr, dass wir mit dem französischen Kunsthistoriker und Modigliani-Experten Marc Restellini einen Kurator für unsere groß angelegte Schau gewinnen konnten, der uns als Verfasser des kurz vor der Publikation stehenden Werkverzeichnisses von Amedeo Modiglianis malerischem Werk nicht nur mit seiner herausragenden Expertise zur Authentizität der Leihgaben zur Seite stand. Seine engen Kontakte zu zahlreichen bedeutenden Privatsammlern der raren Werke Modiglianis haben es uns vielmehr erst ermöglicht, dass unsere Ausstellung von vielen Privatleihgebern aus aller Welt großzügig unterstützt wurde. Dank seiner jahrzehntelangen Forschung an Modiglianis Werk und nachdem er einige der bedeutendsten Ausstellungen zu diesem Künstler in Frankreich, der Schweiz, Italien, Russland oder Japan kuratierte, hat er dem Vorhaben auch inhaltlich einen ganz besonderen Schwerpunkt verliehen. Anlässlich unserer Ausstellung verortet Marc Restellini Modigliani im Zentrum dessen, was als »Revolution des Primitivismus« bezeichnet werden kann, und stellt ihn somit in eindrucksvoller Weise in eine Linie mit der führenden zeitgenössischen Pariser Avantgarde von Pablo Picasso über Constantin Brancusi bis André Derain. »Primitivismus« wird als Stil- und Epochenbezeichnung gesehen, ähnlich den Stilbegriffen des »Klassizismus«, »Impressionismus« oder »Fauvismus« und ungeachtet der Tatsache, dass oft die hohe Kunst von Monarchien – von den Khmer bis zu großartigen Kunstwerken afrikanischer Königreiche und Stämme – die Inspirationsquelle für die westliche Kunst geboten hat.

Als Modigliani im Jahr 1906 als junger, akademisch geschulter Maler nach Paris kam, begann Picasso dort gerade, mit seinen Arbeiten an den *Demoiselles d'Avignon* den Fauvismus abzulösen und den Kubismus vorzubereiten. Modigliani verkehrt in Picassos Kreis des Bateau-Lavoir am Montmartre, ohne dass die beiden Einzelgänger eine enge Freundschaft oder gar ein gemeinsames Programm verbinden würde. Die fauvistischen Maler Matisse, Vlaminck und Derain sind die ersten, die sich unter dem Eindruck der Retrospektive zu Paul Gauguin von 1906 am Salon d'Automne ernsthaft für die Kunst der fremden Kulturen interessierten, die der Kolonialismus nach Paris brachte und die bereits seit über dreißig Jahren von zeitgenössischen Künstlern unbeachtet in den Pariser Museen zur Schau gestellt wurde. In den für sie unglaublich frei gearbeiteten, in Europa bisher tabuisierte Lebensthemen ausdrucksstark wiedergebenden Exponaten fanden sie Antworten auf die Frage nach dem Sinn ihrer Künstlertätigkeit und sie emanzipierten sich daraufhin erstmals vom jahrhundertelang geltenden Prinzip der illusionistischen Naturnachahmung. Picasso orientierte sich vorerst an der prähistorischen iberischen Plastik, seit Frühjahr 1907 angeregt durch Matisse an der afrikanischen Stammeskunst. Derain begann ab März 1906,

angeregt durch außereuropäische Plastiken, in Stein zu arbeiten, ab 1907 folgte ihm darin Constantin Brancusi, 1909 Modigliani, der sich an archaisch-griechischer, ägyptischer, afrikanischer und ostasiatischer Kunst orientierte. Jeder der genannten Künstler suchte und bewunderte in einer jeweils anderen frühzivilisatorischen Kultur die Vereinfachung von Formen, deren Abstrahierung und Stilisierung. Widmete sich Picasso ab 1909 der Weiterentwicklung des Kubismus, so blieb Modigliani dem Primitivismus bis zu seinem frühen Tod im Januar 1920 treu.

Anhand von über achtzig Werken von Amedeo Modigliani kann der Ausstellungsbesucher die Entwicklung des Œuvres dieses bewegenden Außenseiters und künstlerischen Einzelgängers nachvollziehen: vom frühen bildhauerischen Schaffen über die »kubistischen« Porträts seiner Freunde der École de Paris und der Pariser Gesellschaft – von der Dienstbotin bis zum Kunstsammler –, über die madonnenhaften, die italienische Gotik und Renaissance aufgreifenden anonymen Damenporträts und die skandalumwitterten erotischen Akte bis zum im Exil in Nizza entstandenen »klassizistischen« Spätwerk. Seinem Œuvre werden Werke von Pablo Picasso, Constantin Brancusi und André Derain sowie einige Beispiele außereuropäischer und archaischer Kunst gegenübergestellt, welche die Künstler seinerzeit in den Pariser Museen bewundern konnten. In Modiglianis gesamtem Œuvre lassen sich die Einflüsse der Kunst der verschiedensten Weltkulturen festmachen, denen er als junger Maler nach seiner Ankunft in der Kunstmetropole Paris im Louvre und im ethnografischen Museum am Trocadéro begegnete und deren formale Reduktion auf das Wesentliche ihn so sehr beeindruckte. Damit korrigiert die Ausstellung das Bild des lange Zeit als zwar populär, doch eher moderat geltenden, am Schönheitsideal der italienischen Malerei orientierten und vom Alkohol- und Drogenkonsum gezeichneten Malers Modigliani und zeigt ihn als führenden Künstler der Avantgarde, der an einer Überwindung der traditionellen akademischen Normen durch den Primitivismus arbeitete.

Ich bedanke mich von tiefstem Herzen bei den zahlreichen Leihgebern, öffentlichen Museen wie Privatsammlern, die unsere Ausstellung mit großem Interesse unterstützt, uns in diesen schweren Monaten Mut zugesprochen haben und nun für die Dauer unserer Ausstellung auf ihre bedeutenden Werke so großzügig verzichten.

Mein unermesslich großer Dank gilt einmal mehr dem Kurator dieser Ausstellung, Marc Restellini. Ohne seine kompetente Beratung bei der Erstellung des Ausstellungskonzepts und seine unverzichtbaren Kontakte zu den zahlreichen Privatleihgebern wäre diese Ausstellung nicht in dieser Form zustande gekommen.

Mein ganz besonderer Dank gilt auch den Autoren Juliette Pozzo, Sammlungsleiterin und Kuratorin der persönlichen Sammlung Pablo Picassos am Musée National Picasso-Paris, und Universitätsprofessor Dr. Friedrich Teja Bach, Herausgeber des 1987 erschienenen Werkverzeichnisses zu Constantin Brancusi, die den Katalog mit ihren unter schwierigen Bedingungen während der Pandemie verfassten hochkarätigen Beiträgen zur Beziehung Amedeo Modiglianis zu Pablo Picasso respektive Constantin Brancusi ergänzen.

Aufseiten der Albertina wurde die Ausstellung von Assistenzkuratorin Gunhild Bauer betreut. Ihr gilt mein tiefster Dank. Kristin Jedlicka vom Ausstellungsmanagement sei für ihre professionelle Abwicklung des Leihverkehrs und Ausstellungsaufbaus gedankt sowie den zahlreichen Mitarbeitern hinter den Kulissen in den Abteilungen der Restaurierung, Presse, Grafik und Kunstvermittlung. Besonders danke ich auch dem Architekten Martin Kohlbauer, der für die komplexe Kontextualisierung von Modiglianis Werk eine ganz ungewöhnliche und überzeugende Gestaltung gefunden hat.

Prof. Dr. Klaus Albrecht Schröder
Generaldirektor der Albertina

MODIGLIANI, PICASSO – Revolution des Primitivismus

Zum hundertsten Todestag eines Künstlers der Avantgarde

Marc Restellini

Modiglianis Werke, die von der breiten Öffentlichkeit verehrt werden, findet man in den renommiertesten Sammlungen und den größten Museen der Welt. Auf dem Kunstmarkt gehört Modigliani zu den gefragtesten Malern, wobei seine Gemälde bei Auktionen mittlerweile schwindelerregende Preise erzielen. Wenn ihn auch wissenschaftliche und akademische Kreise noch immer mit einer gewissen Reserviertheit beurteilen – vor allem wegen des ihn umgebenden Mythos des »artiste maudit« (»verdammten Künstlers«, des Künstlers als Außenseiters) –, hat Modigliani heute einen festen Platz unter den großen Meistern. Die Ausstellung zu seinem hundertsten Todestag findet in einem der angesehensten Museen der Welt statt und vereint eine beachtliche Anzahl seiner Gemälde. Seit inzwischen zwanzig Jahren finden rund um den Globus herausragende und spektakuläre Modigliani-Retrospektiven statt. Seit der Ausstellung der Sammlung Paul Guillaume in der Orangerie im Jahr 1993 sind seine Werke immer häufiger zu sehen und finden bei einem ständig wachsenden Publikum Bewunderung. Zwischen 1993 und 1996 hat Noël Alexandre, Sohn des Sammlers Paul Alexandre, das beeindruckende Konvolut von Zeichnungen Modiglianis aus der Sammlung seines Vaters weltweit präsentiert. Im Jahr 2002 habe ich zusammen mit einem großen wissenschaftlichen Komitee im Pariser Musée du Luxembourg die Ausstellung *Modigliani. L'ange au visage grave* (*Modigliani. Der Engel mit dem ernsten Gesicht*) organisiert, um dem Künstler, der noch immer nicht zu den großen Namen der Malerei der Moderne zählt, die gebührende Ehre zu erweisen und ihn auf eine Stufe mit Henri Matisse oder Pablo Picasso zu stellen. Rund zwanzig Jahre später stehen nun in den Räumen der Albertina Modigliani und Picasso gemeinsam im Rampenlicht. Heute, da Modiglianis Werk anerkannt ist, gilt es, seine Bedeutung für die Revolution des Primitivismus hervorzuheben, welche die Kunst zu Beginn des 20. Jahrhunderts erneuerte. Mit seinen Karyatiden und seinem an griechisch-archaischer, afrikanischer, ostasiatischer oder ozeanischer Kunst inspirierten Werk gehört Modigliani zweifellos zur Avantgarde, und seine Arbeiten können mit jenen von Picasso, André Derain oder Matisse verglichen werden. Jüngste Studien zeigen seine Beziehung zu Kollegen in einem neuen Licht. So scheint nicht er der Schüler oder Inspirierte gewesen zu sein, sondern derjenige, der andere inspirierte. Zu oft als Mitläufer dargestellt, könnte man Modigliani vielmehr zu den konsequentesten primitivistischen Malern zählen, da sein Werk im Vergleich zu dem seiner Zeitgenossen über einen längeren Zeitraum hinweg entstand und ausgereifter ist.

Doch wer war Modigliani wirklich? Diese Frage heute zu beantworten erscheint auf den ersten Blick unmöglich. Seriöse zeitgenössische Quellen können durchaus glaubwürdig sein – wenngleich mit mehr oder weniger verlässlichen Anekdoten ausgeschmückt –, da sie auf direkten Zeugnissen beruhen; andererseits haben »apokryphe« Quellen, häufig frei erfunden oder romantisiert, wesentlich zur Legendenbildung um den Künstler beigetragen.[1]

So bleibt dieser Mann de facto ein Rätsel. Die schriftlichen Äußerungen Modiglianis – insbesondere seine Korrespondenz – offenbaren eine große Belesenheit, ein komplexes Denken, aber auch zum Teil unverständliche Ideen und erwecken vornehmlich den Eindruck eines »Wiederauferstandenen«, der in der »vollkommenen Hingabe seines Daseins … an eine höhere Berufung, die ihn unwiderstehlich zum Malen treibt«, Erfüllung suchte.[2] Die Schriften Modiglianis überraschen zweifellos und brechen mit dem üblichen, auf stets gleichen Fotos basierenden Bild: das des ewigen vornehmen Verführers. Ähnlich wie ihn auch Lunia Czechowska bei der Schilderung ihres ersten Treffens beschrieben hat:[3]

»Im Juni 1916 nahm Zbo mich mit zu einer Ausstellung von Modiglianis Werken in der Rue Huyghens. Im Anschluss gingen wir mit einigen befreundeten Malern auf die Terrasse des La Rotonde. Ich sehe noch, als ich den Boulevard Montparnasse überquere, einen sehr gutaussehenden Mann, der einen großen schwarzen Filzhut, einen Samtanzug und einen roten Schal trug; aus seinen Taschen lugten Stifte, unter dem Arm trug er eine riesige Zeichenmappe; es war Modigliani. Er kam und setzte sich neben mich. Ich war beeindruckt von seiner Erscheinung, seiner Ausstrahlung und der Schönheit seiner Augen. Er war zugleich sehr schlicht und sehr vornehm. Wie er sich doch in den kleinsten Gesten von den anderen unterschied, bis hin zu der Art, wie er einem die Hand schüttelte … Er hatte wunderbare, beim Zeichnen sichere Hände.«[4]

Im Bestreben, ein getreues Zeugnis über das Leben ihres Sohnes zu hinterlassen, diktierte Eugénie Garsin ihrer Tochter Margherita »biographische Anmerkungen«[5] über die Kindheit und Jugend des Künstlers, die diese 1924 an Paul Alexandre schickte. Dem ist zu entnehmen, dass Amedeo Clemente Modigliani am 12. Juli 1884 als viertes Kind und letzter Sohn von Flaminio Modigliani und Eugenia Garsin geboren wird. »Beide Familienzweige wiesen sehr deutliche, charakteristische Züge auf, und beide waren von jüdisch-italienischer Abstammung«:[6]

»Die Modiglianis, ungefähr fünfzig Jahre vor Amedeos Geburt von Rom nach Livorno übergesiedelt, waren fast alle groß, stark, sehr ausgeglichen, erfreuten sich bester Gesundheit, waren frei von ererbten Belastungen, von phlegmatischem Naturell, eher dazu veranlagt, das Leben zu genießen, als ihre, übrigens sehr lebhafte Intelligenz zu verausgaben. … Die Garsins, die ursprünglich aus Livorno stammten, jedoch vor fast hundert Jahren nach Marseille ausgewandert waren, wiesen körperlich und intellektuell deutlich andere Wesenszüge auf. Sie waren kleiner, weniger stark, fast alle dunkelhaarig, von sehr wacher, ausdrucksvoller und lebhafter Physiognomie. Unter den Vorfahren hatte es einige Fälle von Tuberkulose (und langem Widerstand dagegen), von Leberkrankheiten und Geistesverwirrung gegeben.«[7]

Die Mitglieder beider Familien, die nahezu gleichzeitig geschäftlich vor dem Ruin standen, teilten sich ein Haus; jeder arbeitete, um zu überleben. »In einer freudlos-nüchternen Atmosphäre von Arbeit und Verzicht«[8] verbrachte Dedo – so der Kosename für den Jüngsten – seine ersten Lebensjahre in einer geschützten Welt, ohne jedes soziale Leben. Seine Mutter, die seine angegriffene Gesundheit schonen wollte – er litt als Kleinkind wiederholt an Rippenfellentzündungen –, lehnte es ab, ihn in die Grundschule zu schicken: das Kind »gefügig, von frühreifer Intelligenz und Nachdenklichkeit«,[9] verbrachte seine Tage umgeben von Büchern, inspiriert von den Gesprächen der ihn umgebenden Erwachsenen, lernte die Poesie (vor allem Dante Alighieri) kennen, führte lange Gespräche mit seinem Großvater Isaac Garsin, einem »in seiner Intelligenz, Rechtschaffenheit und Prinzipienstrenge«[10] herausragenden Mann, der behauptete, ein Nachfahre Spinozas zu sein, und »eine ausgeprägte Neigung zu philosophischen Spekulationen« hatte.[11] Zu jener Zeit »bekritzelte« das Kind »mit Bleistift oder mittels weniger Farben … alles, was ihm in die Hände geriet«.[12]

»Als er elf Jahre alt wurde, begann er, Kurse des ›Gimnasio‹ zu besuchen, Schulstunden, die er ohne Begeisterung, aber einigermaßen regelmäßig absolvierte, bis 1898 … der Wechsel zum Lyzeum erfolgte«.[13] Im Alter von vierzehn Jahren zog sich Amedeo einen »schweren Thyphus« zu:

»so daß er wochenlang zwischen Leben und Tod schwebte und mehr als einen Monat phantasierte. In diesem Fiebertraum sprach er den Wunsch aus, Malerei zu studieren. Nie zuvor hatte er davon gesprochen, weil er diesen Traum wohl für unerfüllbar hielt. … Sein mit vierzehn Jahren bereits sehr ausgeprägter, eigenwilliger Charakter …, seine sowohl natürliche als auch erworbene Neigung, die intimsten Gefühle zu verbergen, sein Feingefühl und auch der Stolz in ihm – all dies hatte Amedeo bis dahin den Mund verschlossen. Erst in seinem langen Fieberwahn sprach er; unablässig sprach er von Bildern, die er flüchtig von Reproduktionen her kannte … In einem seiner Albträume verpasste er den Zug, der ihn nach Florenz zu den Uffizien bringen sollte …, seine Mutter, die ihn pflegte, beschloss, ihren Sohn um jeden Preis zufriedenzustellen. Eines Tages, als er noch fieberte und phantasierte, ergriff sie seine Hände, versuchte, seine Aufmerksamkeit zu gewinnen und gab ihm ein feierliches Versprechen: ›Wenn du gesund wirst, werde ich dir einen Zeichenlehrer suchen‹«.[14]

Nach seiner Genesung besuchte Modigliani das Atelier eines Livorneser Malers namens Guglielmo Micheli, wo er sich mit Oscar Ghiglia anfreundete. Er entdeckte das Künstlerleben, den Tabak, die Frauen und vor allem den Spiritismus. Wie zwei seiner Gefährten aus dem Atelier, die kurz darauf verstarben, steckte er sich mit Tuberkulose an.

Im September 1900 gaben die Ärzte ihn auf. Doch seine Mutter war anderer Ansicht: Mit finanzieller Unterstützung ihres Bruders Amédée Garsin, dessen Marseiller Geschäfte allmählich florierten, brachte sie ihren Sohn für ein ganzes Jahr weit weg von Livorno:[15] Er besuchte Museen und Bildergalerien; sie suchte nach Orten, an denen ihn Luft und Klima würden heilen können.[16] Die Persönlichkeit des Künstlers bildete sich heraus:

»Schon damals wurde er wegen seiner etwas hochmütigen Art, seiner kühlen Umgangsformen und der Leichtigkeit, mit der er über vielerlei Dinge mit Intelligenz zu sprechen verstand, von den wenigen Hotelgästen als erwachsener Mann angesehen. Ein schwacher, leicht gekräuselter Bartwuchs unterstrich den Charme seiner so ausdrucksvollen Physiognomie. Ein englischer Reisender sagte ihm eines Tages: ›Sie müssen mit Gefühl, Vorstellungskraft und Konzentration malen.‹ ›Das ist ein ganzes Programm‹, antwortete Dedo, ›ich werde mich daran halten.‹«[17]

Das war zweifellos schlichte Höflichkeit eines Malers, den bereits eine genaue Vorstellung davon umtrieb, wie ein Künstler zu sein hatte und wie seine Kunst sein sollte, wie diese Zeilen zeigen, die er 1901 an seinen Freund Oscar Ghiglia schrieb:

»Wir, wir haben andere Rechte als normale Menschen, denn wir haben andere Bedürfnisse, die uns – man muss es sagen und glauben – über ihre Moral stellen. Deine Pflicht ist es, dich niemals in Aufopferung zu verzehren. Deine wirkliche Pflicht ist es, Deinen Traum zu retten … Der Mann, der es nicht versteht, aus seiner Energie neue Wünsche und fast neue Individuen zu erschaffen, die dazu bestimmt sind, immer wieder niederzureißen, was vom Alten und Verrotteten geblieben ist, ist kein Mann, sondern ein Spießer, ein Krämer, was immer Du willst … gewöhne Dich daran, Deine ästhetischen Bedürfnisse über Deine Pflichten gegenüber Deinen Mitmenschen zu stellen.«[18]

Nach Neapel, Torre Del Greco und Capri kehrten Mutter und Sohn für ein paar Tage nach Livorno zurück, dann brach Modigliani wieder auf, diesmal allein, da »vor allem das Familieneinerlei, das völlig Fehlen jeglichen künstlerischen Umfeldes … den jungen Mann nicht mehr zufriedenstellen« konnten:[19] Er verbrachte einige Monate in Florenz, den Winter dann in Rom, um schließlich wieder nach Florenz zurückzukehren, wo er an Scharlach erkrankte. Als Onkel Amédée, der ihn finanziell unterstützte, starb, tat »die Familie weiterhin ihr Bestes, um Dedos Wunsch – einem Leben außerhalb Livornos in Kunststädten – zu entsprechen.«[20] Nach einem Aufenthalt in Venedig fasste der Künstler den Entschluss, nach Paris zu gehen.

Wir schreiben das Jahr 1906: Modigliani war 22 Jahre alt, sein Äußeres schmeichelhaft. Auffallend gutaussehend, von ungewöhnlicher Vornehmheit und Eleganz, hatte der gebildete junge Mann eine außerordentliche literarische und philosophische Erziehung genossen. Die gesundheitlichen Probleme, die er durchlebt hatte, verstärkten sicherlich den Eindruck, etwas Besonderes zu sein, und erklären die Faszination, die er zunächst auf seine Freunde, dann auf seine Gefährtin Jeanne Hébuterne ausübte.

Doch lassen wir Zeitzeugen zu Wort kommen: Zunächst Paul Alexandre, der erste Mäzen, der aber auch ein Freund des Künstlers war:[21] »Als Mensch war er ebenso bezaubernd wie sein Werk«;[22] »obwohl klein von Wuchs (keine 1,60 Meter groß), war er ein sehr schöner Mann und hatte enormen Erfolg bei den Frauen«;[23] »er war ein geborener Aristokrat. Er hatte den entsprechenden Stil und die entsprechenden Neigungen.«[24] Dann Lunia Czechowska: »Modigliani sah nur, was schön und rein war. Ich habe nie gesehen, dass er auf jemanden eifersüchtig war: ich habe nie gehört, dass er über irgendjemanden bösartige Kritik geäußert hat«; »Modigliani war sehr wohlerzogen und ist es, trotz seines ungeordneten Lebens, geblieben.«[25] Und Paul Alexandre ergänzte: »Den zeitgenössischen Malern gegenüber war er wohlwollend, ohne eine Spur von Neid oder Häme, während diese sich nicht einmal dazu herabließen, einen Blick auf seine Bilder zu werfen.«[26]

Seine Freunde kannten jedoch auch seine starke Persönlichkeit und die klar definierten Vorstellungen, die er selbst von seiner Kunst hatte: »Von sehr liebenswürdigem Charakter, war er dennoch zu heftigen Auseinandersetzungen fähig«;[27]

»unter all den romantisierenden Büchern, die über Modigliani geschrieben wurden, erfasst keines seine Seele und seine wahre Persönlichkeit. Ich [Lunia Czechowska] kannte ihn anders, als das Bild, das sie zeichnen …, auch wenn er sich wie ein Bohemien gab, hatte Modigliani verborgene Schätze, um die nur seine Freunde wussten. Er war ein wahrer Künstler: normale Menschen können diese besonderen Wesen, deren Seelen stetig in Aufruhr sind, nicht erreichen oder verstehen.«[28]

Paul Alexandre führte es noch genauer aus: »Modigliani liebte das Risiko. Er glaubte, dass man keine Angst haben müsse, sein Leben aufs Spiel zu setzen, um es zu bereichern. Mit barscher Intoleranz gegenüber der Mittelmäßigkeit erhob er Anspruch auf fürstliche Vorrechte.«[29] »Seine Kunst war seine exklusive Leidenschaft. Ausgeschlossen, dass er für in seinen Augen schmutzige Arbeiten auch nur einen Moment aufgab, was er als seinen Daseinsgrund ansah;« »In seinem Innersten war er sich schon seines eigenen Wertes gewiß. Er wußte, daß er ein Neuerer und kein Epigone war.«[30]

»Weshalb war dann Modigliani nicht imstande, es den Freunden gleichzutun? Einfach, weil er eine zu hohe Meinung von seiner Kunst hatte und sich um nichts in der Welt prostituieren wollte.«[31] Modigliani zeigte einen kompromisslosen Elitismus. Lieber »verhungert« er, als Jean Alexandres Vorschlag anzunehmen, Zeichner bei der satirischen Wochenzeitschrift *L'Assiette au beurre* zu werden, die guten Karikaturisten ein für die damalige Zeit sehr einträgliches Einkommen ermöglichte. Für den Künstler war also kein Zugeständnis, das als Opfer für seine Kunst hätte interpretiert werden können, tolerabel. So lassen sich auch die heftigen Wutausbrüche erklären, zu denen Modigliani fähig war, Wutausbrüche, die der Legende nach dem Alkohol und den Drogen zugeschrieben wurden und ihm den Ruf eines gewalttätigen Mannes eintrugen. Denn Lunia Czechowska bestätigte uns, dass diese Ausbrüche nur mit dem Unverständnis seiner Umwelt zusammenhingen, wie folgende Anekdote illustriert: Als eines Tages Leopold Zborowski seine Neugier nicht beherrschen konnte und trotz Modiglianis ausdrücklichem Verbot das Atelier betrat, um das Mädchen zu sehen, das dem Künstler Modell stand, während er an *Blonder Akt* arbeitete, empfand dieser es als große Katastrophe, als »Schändung eines Heiligtums«.[32]

Ist Modiglianis Vision von Kunst nicht fast als eine allgemeine politische und soziale Vision zu verstehen? Zu dieser Ansicht könnte man gelangen, wenn man Modiglianis von Léopold Survage ein Jahrzehnt später überlieferte Worte liest: »Ich bin weder Arbeiter noch Dienstherr. Der Künstler muss frei sein, ungebunden. Ein außergewöhnliches Leben. Einzig der Bauer, der Landwirt führt ein normales Leben«; »weder Dienstherr noch Arbeiter, aber Herr über seine Mittel«; »wir sind eine Welt. Die Bourgeoisie ist eine andere – weit entfernt von uns«.[33] Doch diese Option ist nicht belegt: Wie es scheint, war Modigliani nie für soziale oder politische Themen empfänglich. Bekannt ist auch, dass der Künstler nicht die politischen Überzeugungen seines Bruders Emanuele teilte, der an den sozialistischen Aufständen in Italien von 1898 beteiligt war und deshalb von einem Militärgericht zu sechs Monaten Haft verurteilt wurde.[34]

Diese Auffassung vom künstlerischen Schaffen und ein gewisser Elitismus, wie es Modigliani seinem Freund Oscar Ghiglia bereits 1901 dargelegt hatte, gründeten demnach in einer persönlichen Philosophie des Künstlers, die einerseits auf einem Gefühl der menschlichen Überlegenheit beruhte, andererseits auf der hohen Wertschätzung seiner Kunst und der Rolle, die er in der Kunst spielen sollte.[35]

Zweifellos hatte dieser Mann das Gefühl, anders zu sein als die anderen, ihnen womöglich gar überlegen zu sein, wie das nachfolgende Zitat von Gabriele D'Annunzio zeigt, das er sogar auf einige seiner Zeichnungen geschrieben hat: »Das Leben ist ein Geschenk: weniger an viele: von denjenigen, die wissen und haben, an diejenigen, die nicht wissen und nicht haben.«[36] Dieses Überlegenheitsgefühl erklärt sich natürlich durch Modiglianis Konfrontation mit Krankheiten, aber vor allem mit dem Tod: Diesem hat er ins Auge gesehen, doch er entkam ihm. Diese grundlegende Erfahrung gab ihm zwangsläufig eine völlig andere Sicht auf das Leben und die anderen – jene, die diese Erfahrung nicht gemacht haben –, und sie wurde durch seine ausgeprägte künstlerische Sensibilität und seine poetische Bildung noch verstärkt.[37] Diese Selbsteinschätzung sollte ihn für den Rest seines Lebens verfolgen, wie die letzte Nachricht beweist, die er am 6. Mai 1913 an Paul Alexandre schrieb.

»Schmeichler und Freund.
Das Glück ist ein Engel mit ernstem Gesicht.
Der Wiederauferstandene.«[38]

Wie soll man diesen Satz deuten: das Bild des Glücks in Form eines traurigen Engels? Ist der Wiederauferstandene nicht aus dem Tod zurückgekehrt? Offensichtlich ist für einen »Wiederauferstandenen« die Begegnung mit dem Jenseits und der Welt des Todes ein Quell der Faszination. Unter dieser Prämisse nimmt man seine erhaltenen schriftlichen Äußerungen mit ihren rätselhaften Anspielungen, ihrem mysteriösen Sinn oder ohne jeden Sinn, in denen sich Mystik, Metaphysik, Kabbala, Alchemie und Spiritismus vermischen, anders wahr.[39] Dieser Mann glaubte auch, mit höheren äußeren Mächten zu ringen, denen er sich ausgeliefert fühlte: »Ich selbst bin Spielball sehr starker Kräfte, die kommen und gehen.«[40]

Doch Modigliani weiß vor allem, dass seine Kunst eine Botschaft transportiert. Wäre er nicht gerne ein Demiurg? Survage schreibt diesen Satz Modigliani zu: »Wir bauen eine neue Welt mit Hilfe von Formen und Farben, es ist aber das Denken, das Herrscher dieser neuen Welt ist.«[41] Seine gesamte Korrespondenz mit Oscar Ghiglia scheint dies zu bestätigen.

»Ich versuche auch, die Wahrheiten über die Kunst und das Leben, die ich aus den Schönheiten Roms gewonnen habe, so klar wie möglich zu formulieren; und da mir Ihr enger Zusammenhang bewusst geworden ist, will ich versuchen, ihn zu enthüllen und seine Konstruktion, ich würde fast sagen, seine metaphysische Architektur, neu zu kreieren, um daraus meine Wahrheit über das Leben, über die Schönheit und über die Kunst zu erschaffen.«[42]

Abb. 1 | Das Palais du Trocadéro, Paris, vor 1914

»Ich kann kein Tagebuch führen . . . , weil ich auch glaube, dass innere Vorgänge der Seele nicht in Sprache gefasst werden können, solange wir von ihnen beherrscht werden. Warum schreiben, wenn man fühlen kann? . . . Glaube mir, nur die Dinge, die ihr ausgereiftes Stadium erreicht haben, die Gestalt angenommen und sich von den Einflüssen all der besonderen Begebenheiten befreit haben, die zu ihrer Befruchtung und Entstehung beigetragen haben, nur diese Dinge sind es wert, durch Stil ausgedrückt und übertragen zu werden . . . Man sollte jedes große Kunstwerk wie jedes andere Werk der Natur betrachten. Zunächst in seiner ästhetischen Realität, dann von seiner Entwicklung und den Geheimnissen seiner Entstehung, dessen, was seinen Schöpfer angetrieben und bewegt hat, losgelöst. Das ist übrigens reiner Dogmatismus.«[43]

Auch wenn diese Gedanken wohl für seinen Freund Ghiglia verständlich waren, wird der unkundige Leser ihnen doch nur schwer folgen können und sich in die beruhigende Vorstellung flüchten, dies alles seien nur die Äußerungen eines Künstlers. Die poetische und philosophische Verwendung des Worts – die er mit unbestrittener Brillanz beherrschte – sowie der stilistische Ausdruck der Satzabfolge machen die Lektüre dieser emotionalen Briefe zu einem betörenden poetischen Genuss.[44]

Und so kommt schließlich der Mensch zum Vorschein: ein »metaphysisch-spiritueller« Intellektueller mit der Neigung zum Mystischen. Eingestandenermaßen sind wir hier weit entfernt vom traditionellen Bild dieses Malers, wie es seit fast einem Jahrhundert beschrieben wird. Hinter der Legende vom einzigen »artiste maudit des 20. Jahrhunderts« verbirgt sich ein Visionär – wie Picasso – mit einer äußerst fortschrittlichen und innovativen philosophischen Kunstauffassung. Zwei Visionäre also, die mit dem gleichen Schock konfrontiert werden sollten – mit einem außergewöhnlichen ethnografischen Museum.

Das Musée du Trocadéro als Katalysator?

»Das Museum, das in einem Palais untergebracht war, das für völlig andere Zwecke gebaut wurde, das dunkel und ungeheizt war, ausgestattet mit improvisierten, kaum vor Staub, Feuchtigkeit und Insekten geschützten Vitrinen, über keine Werkstätten und Arbeitsräume, Lager, Laboratorien oder Sammlungskataloge verfügte, vermittelte den Eindruck eines Trödelladens, in dem die wertvollen Objekte in dunklen Schränken von den Besuchern unbemerkt blieben. Eine Kennzeichnung war praktisch nicht vorhanden, für die Orientierung des Publikums unerlässliche Hinweise auf Geografie und Verbreitung der Exponate fehlten. Noch gravierender war die Tatsache, dass empfindliche Gegenstände (aus Holz, Leinen, Baumwolle, Federn und ähnlichem) der Zerstörung ausgesetzt waren. Der Mangel an Wärtern machte eine Überwachung unmöglich oder zumindest illusorisch. Es gab keine Sicherung gegen Feuer oder Diebstahl. Die Bibliothek, ohne Bibliothekar und Katalog, war trotz ihres Reichtums quasi unbenutzbar.«[45]

Das ist das traurige Bild, das Georges-Henri Rivière und Paul Rivet vom Musée d'Ethnographie du Trocadéro zeichneten, als Paul Rivet im Jahr 1928 die Leitung übernahm. Kann man angesichts dieser Beschreibung überhaupt noch von einem Museum sprechen? Was hatten diese Räume im Palais du Trocadéro (Abb. 1) noch mit einem Museum gemein? Auch die Sammlungen und ihre Präsentation waren veraltet. Die fächerförmig angeordneten Waffen in den dunklen Vitrinen wirkten wie eine Ansammlung von Kriegstrophäen und die ausgestellten Objekte wie eine Zurschaustellung der »Wildheit« der Völker. Das Ganze war durchdrungen von kolonialer Propaganda und einem Überlegenheitsgefühl des modernen Westens gegenüber den unzivilisierten Völkern der restlichen Welt.[46] Man kann also nur sagen, dass das Musée d'Ethnographie du Trocadéro eher einer »dunklen Höhle«, einer »Rumpelkammer« oder gar einem »staubigen Mausoleum« glich denn dem prestigeträchtigen ethnografischen Museum, das sich sein Gründer, der Anthropologe Ernest Hamy 1878 erträumt hatte.[47] Schon ab 1900 ist das museologische Versagen offenkundig und die Besucher, die es zwischen der Jahrhundertwende und den 1930er-Jahren aufsuchten, fanden die Sammlungen in einer phantasmagorischen, beinahe mystischen Atmosphäre vor. Die wenigen Fotos, die das Museum in dieser Zeit zeigen, belegen die Aussagen der seltenen Besucher: Die Vitrinen sind zusammengepfercht (Abb. 2), die Masken, Waffen, Totems und Figuren sind in großen spektakulären Kompositionen angeordnet (Abb. 3, 4) oder thronen zur Freude der Kunstliebhaber mitten im Raum (Abb. 5). Den Standards der damaligen Museumstechnik entsprechend, nehmen die Depots nur einen kleinen Teil der Gesamtfläche ein, denn das Prinzip ist, fast alle Objekte und Serien nach einer festgelegten wissenschaftlichen Klassifizierung zum Studium auszustellen. Angesichts der mangelhaften Beleuchtung, dem Geruch nach Holz und Stoff, den fehlenden Erläuterungen und der Stille der Räume glich ein Besuch im Musée d'Ethnographie du Trocadéro zu Beginn des 20. Jahrhunderts eher einer exotischen Expedition oder einem verstörenden Erlebnis als einem angenehmen Bummel vorbei an den Vitrinen mit ihren Exponaten. Dieser Umstand muss bei einer Untersuchung, welchen Einfluss der Primitivismus auf die Künstler hatte, die das Museum besuchten, berücksichtigt werden.

Picassos Zeugnis ist äußerst aufschlussreich: 1907 betrat er das Museum »zufällig«, wie er sagt – obwohl es auf Derains Rat hin gewesen zu sein scheint –, und empfand Faszination, Angst und Abscheu zugleich:

»Als ich ins ethnografische Museum am Trocadéro kam, war das scheußlich. Ein Flohmarkt. Dieser Gestank. Ich war ganz allein. Ich wollte schon wieder gehen. Aber ich ging nicht. Ich blieb da. Ich merkte, dass es wichtig

Abb. 2 | Die amerikanische Abteilung des Musée d'Ethnographie du Trocadéro, Paris, um 1880–1889

Abb. 3 | Die Präsentation ozeanischer Objekte im Musée d'Ethnographie du Trocadéro, Paris, um 1895

war. Es geschah irgendetwas mit mir, oder? ... Ich habe verstanden, warum ich Maler war. Ganz allein in diesem schrecklichen Museum mit seinen Masken, seinen rothäutigen Gliederpuppen, seinen verstaubten Figuren.«[48]

Später berichtete eine seiner Gefährtinnen, Françoise Gilot, von seinem Erlebnis: »Aber ich blieb und sah mir alles an. Die Menschen schufen diese Masken und die anderen Gegenstände zu geheiligten Zwecken, zu magischen Zwecken, als eine Art Vermittler zwischen ihnen selbst und den unbekannten bösen Mächten, die sie umgaben, um ihre Furcht und ihren Schrecken zu überwinden, indem sie ihnen Form und Gestalt verliehen. In diesem Augenblick erkannte ich, daß dies und nichts anderes der Sinn der Malerei ist. Malerei ist kein ästhetisches Unterfangen, sie ist eine Form der Magie, dazu bestimmt, Mittler zwischen jener fremden, feindlichen Welt und uns zu sein. Sie ist ein Weg, die Macht an uns zu reißen, indem wir unseren Schrecken wie auch unseren Sehnsüchten Gestalt geben. Als ich zu dieser Erkenntnis kam, wußte ich, daß ich meinen Weg gefunden hatte.«[49]

Bei Modigliani gibt es kein so eindeutiges Zeugnis, doch die Bedeutung dieses Museums für seine Malerei ist bekannt. Paul Alexandre berichtet wiederholt von Modiglianis dortigen Besuchen und von den Anregungen, die er dort zu finden schien. Der Maler war jedoch mehr von dem westlichen Teil des Palais du Trocadéro angezogen, in dem das 1882 von dem Forscher Louis Delaporte eröffnete Indochinesische Museum untergebracht war. Paul Alexandre erzählt: »Modigliani führte mich in die afrikanische Kunst ein und keineswegs umgekehrt. Er nahm mich zum Museum am Trocadéro mit, wo er sich mehr für die Angkor-Ausstellung im westlichen Flügel begeisterte. Was mich angeht, so besaß ich nie afrikanische oder kambodschanische Kunst und war auch kein Kenner auf diesem Gebiet.«[50] In diesem Museum waren Khmer-Werke ausgestellt, die in Angkor entdeckt wurden, vor allem aber große Abgüsse von Tempeln, die der Forscher während seiner Missionen in Indochina in den 1870er-Jahren abgenommen hatte. In der Mitte der Galerie erhob sich der imposante fünfzehn Meter hohe Abguss eines der Gesichter-Türme des Bayon-Tempels in der Anlage Angkor Thom (Abb. 6). Eines der wichtigsten Stücke war die eindrucksvolle Balustrade des Preah Khan-Tempels, die den neunköpfigen Schlangengott Naga darstellte, der von drei Göttern mit mehreren Armen getragen wird (Abb. 7). Die ohnehin schon beeindruckende Präsentation der Originalwerke wurde durch die Abgüsse komplettiert[51] und vermittelte ein Bild Ostasiens als Land der vergessenen Zivilisationen.[52]

Mit seinem ethnografischen Museum, in dem Objekte und Puppen eine »pittoreske«[53] Atmosphäre schufen, und dem Indochinesischen Museum, in dem die Abgüsse die Funktion hatten, die »ewigen Ruinen«[54] zu kanonisieren, war der Trocadéro hinsichtlich des Primitivismus ein bedeutender Ort der Inspiration. Dies war in Paris umso mehr eine Besonderheit, als andere ethnografische Museen in Europa, etwa in Großbritannien, Deutschland, Skandinavien, Russland, Italien oder der Schweiz,[55] ausreichend genug organisiert und finanziert waren, um ihren Besuchern eine museumskundlich adäquate Sammlung zu präsentieren. Das bestätigt auch Derains Erfahrung im British Museum: Den Künstler beeindruckte eher die Fülle der Werke als die bizarre Beschaffenheit des Ortes. 1906 schrieb er an Matisse: »[Ich sah] in buntem Durcheinander angehäuft, und jetzt passen Sie gut auf, die Chinesen, die Neger [sic] von Guinea, Neuseeland, Hawaii, dem Kongo, die Assyrer, die Ägypter, die Etrusker, Phidias, die Römer und die Inder«.[56] Dem Pariser Museum hingegen merkte man den Rückstand Frankreichs gegenüber seinen europäischen und amerikanischen Nachbarn an. Während die Großstädte Europas – aber auch die kleineren – bereits in den 1830er- oder 1840er-Jahren über ethnografische Museen verfügten, wurde das Pariser Museum erst 1878 anlässlich einer Weltausstellung eröffnet und auch nur dank der zahlreichen Verhandlungen von Ernest Hamy, der die Regierung von der Bedeutung eines solchen Museums überzeugen konnte. Die Räumlichkeiten – sie sollten modern sein und sich an den auf diesem Gebiet pädagogisch bestaufgestellten europäischen Museen orientieren, die im 19. Jahrhundert Universalismus anstrebten, indem sie fremde Objekte zeigten[57] – entsprachen letztlich durch ihre auf die Trennung nach Kontinenten reduzierte Klassifizierung den Standards der Kolonialpolitik.

Abb. 4 | Vitrine mit Masken aus Neukaledonien, Musée d'Ethnographie du Trocadéro, Paris, um 1880–1926

Abb. 5 | Désiré Mathieu Quesnel, *Weltausstellung – Der Chef der Kanacken in der ethnografischen Ausstellung im Palais du Trocadéro*, 1878, Holzschnitt, 34,5 × 25,4 cm Musée Carnavalet – Histoire de Paris

Seit den 1890er-Jahren schien das Musée d'Ethnographie du Trocadéro wie in der Zeit erstarrt, unfähig, sich den neuen Normen der Museografie anzupassen, die damals die ethnografischen Museen in Europa auszeichneten. Die Trägheit, die das Museum kennzeichnete, stand im Gegensatz zum Aufruhr in der Kunst- und Museumswelt. So geriet das ethnografische Museum im Palais du Trocadéro ins Abseits des wachsenden Interesses an »fernen Künsten«.[58] Durch die irritierende geografische Ausdehnung des Kunstsektors wurde der bisher den Museen vorbehaltene Wirkungskreis vergrößert, indem privaten Galerien, in denen die Grenze zwischen künstlerischen und ethnografischen Objekten schnell verwischte, ein immer wichtigerer Stellenwert zukam. Als um 1905 die Künstler des Primitivismus begannen, das Museum im Palais du Trocadéro zu besuchen, lag es noch weit hinter seiner Zeit zurück, denn in den Vereinigten Staaten arbeiteten bereits die Schüler des berühmten Anthropologen Franz Boas, damals Kurator des American Museum of Natural History, an neuen Herangehensweisen an die sogenannte »primitive« Kunst. Auf der anderen Seite des Atlantiks bewegte sich der Trend weg von einem bloßen Ansammeln von Objekten, das ein altmodisches und entwürdigendes Konzept darstellte und das die sogenannten »Primitiven« und ihre Werke auf eine frühe Stufe menschlicher Entwicklung beschränkte, im Gegensatz zu jenen Zivilisationen, die zum Anlegen von Sammlungen »leicht transportabler Objekte«[59] sozusagen

Abb. 6 | Gipsabguss eines Turms des Bayon-Tempels, Angkor Thom, Musée Indochinois du Trocadéro, Paris, um 1900

Abb. 7 | Frederick Moller, *Weltausstellung – Ausstellungshallen des Trocadéro. Die kambodschanischen Riesen und die mehrköpfige Schlange, die M. Delaporte mitgebracht hat,* 1878, Holzschnitt, 35 × 25,4 cm, Musée Carnavalet – Histoire de Paris

fähig waren. So scheint das Museum im Palais du Trocadéro zu jener Zeit, da sich in der Malerei der Moderne eine künstlerische Revolution vollzog, am Scheideweg zwischen den Vorstellungen des 19. Jahrhunderts und einer heute fast unvorstellbaren Atmosphäre in einer Art Zeitblase gefangen gewesen zu sein.

Zwar mehrten sich seit einem halben Jahrhundert die Berichte von Forschern und die Abhandlungen von Anthropologen, doch ihr sozialer Status erschwerte den Künstlern des Primitivismus von Anfang an den Zugang zu diesen kostspieligen und komplexen Werken, die selten allgemein zugänglich und der damals noch immer geschlossenen Welt der Bibliotheken vorbehalten waren. In der sogenannten »populären« Presse waren die Kommentare zu den selten abgebildeten Objekten durchgängig abwertend und herablassend, und die Arbeiten der sogenannten »Primitiven« wurden als erbärmlich und skandalös eingestuft.[60] Dem Museum im Palais du Trocadéro kam also die Rolle eines exklusiven Mittlers zwischen Künstlern aus dem einfachen Volk und der außereuropäischen Kunst zu.

Die bloße Existenz einer solchen Institution in Paris könnte eine Untersuchung des Wandels der primitivistischen Revolution durch einzelne Pariser Künstler rechtfertigen – entgegen den Geboten der internationalen Kunstgeschichte, die eine Untersuchung des europäischen Primitivismus, insbesondere des französischen und deutschen, als Ganzes fordert. Die Existenz des Museum im Palais du Trocadéro war damals umso wichtiger, als sein Besucherkreis sich zunächst auf Liebhaber, Wissenschaftler, zufällig vorbeikommende Reisende und vor allem auf Künstler auf der Suche nach Inspiration beschränkte. Als sich Europa und Amerika der sogenannten »primitiven« Kunst öffneten, boten die ethnografischen Museen eine erste, fast visuelle, das heißt sinnliche Definition dieser Kunst. Die spezifische Museografie dieser Institutionen basierte auf der Art und Weise, wie die »Objekte der nichtzivilisierten Völker« ausgestellt wurden. Der Prähistoriker Felix Regnault vertrat die Meinung, Objekte seien zuverlässige Dokumente, die am besten Auskunft über »Sitten und Mentalität der Völker« geben könnten.[61] Für ein ethnografisches Museum bestand also damals die Notwendigkeit, Objekte auszustellen, die »als Ausgleich für das Fehlen schriftlicher Äußerungen der primitiven Völker den Status eines Dokuments« bekommen, ausgehend von der Idee, solche Objekte seien die materielle Transkription ihrer biologischen und moralischen Herkunft.[62] Mit anderen Worten: Neben den rassistischen Definitionen des »Primitiven« als einem der modernen Gesellschaft unterlegenem Individuum vermitteln Museen wie das Palais du Trocadéro Künstlern auf der Suche nach Inspiration und ästhetischer Intensität die Vorstellung, die ethnografischen Objekte der »Primitiven« dienten dazu, Botschaften zu übermitteln, um das Fehlen des geschriebenen Wortes zu kompensieren. Könnte man annehmen, eine solche Auffassung beinhalte *die* Definition des Primitivismus? In jedem Fall zumindest eine seiner Definitionen.

Primitivismen und die Revolution des Primitivismus

Zweifellos kann der Begriff »Primitivismus« heute nicht mehr im Singular verwendet werden, so viele Definitionen, Bedeutungen und Eigenschaften beinhaltet er. Tendenziell verschwindet er auch eher: Mit der Absicht, keine Anspielungen und Assimilationen einer vergangenen Zeit mehr vermitteln zu wollen, wird er hier und da durch eine andere Wortwahl ersetzt, die als konsensfähiger gilt. Man spricht dann von »aus der Ferne«,[63] von »anderswo«, von einem »Blick« auf eine externe Gemeinschaft von Individuen, geschickt als »andere« bezeichnet und mit Adjektiven versehen, die ihre Vergangenheit, Geschichte oder Kultur würdigen. Denn der Begriff »Primitivismus« ist untrennbar mit dem des »Primitiven« verbunden, einem Wort, das jeder westliche Betrachter nur in Anführungszeichen verwendet, da es mit Rassismus und Vorurteil behaftet ist. Es verweist auf einen »Anderen«, dessen Hauptmerkmale einerseits intellektuelle, moralische und zivilisatorische Dekadenz und andererseits die Opposition zu einer modernen und entwickelten westlichen Normalität zu sein schienen.

Die »moderne« Kunst, eben dieser Modernität, wandte sich also Kunstformen zu, die als archaisch, volkstümlich oder antik galten, als Bruch mit dem bestehenden Ästhetizismus. Um diese Objekte zu benennen, die mit dem »Anderswo« verbunden waren, sprach man von »primitiver Kunst« oder »Negerkunst«. Im Laufe des 20. Jahrhunderts veränderte sich die Wortwahl, um die diesen Begriffen implizite Hierarchie der Völker und Kulturen aufzuheben, doch die westliche Sichtweise wurde beibehalten: Aus »primitiver Kunst« wurde »Erste Kunst« und dann »außereuropäische Kunst«. Heute ist es üblich, nach geografischen Gebieten und nach Epochen zu unterscheiden, und wir sprechen von der »Kunst Afrikas, Ozeaniens, Asiens und Amerikas« oder auch von »traditioneller afrikanischer Kunst« bei Werken aus Afrika südlich der Sahara und der Zeit vor dem 20. Jahrhundert.

Der Begriff »Primitivismus« wird heute verwendet, um verschiedene Einflüsse zu bezeichnen – im Allgemeinen von der Mitte des 19. Jahrhunderts bis nach dem Zweiten Weltkrieg –, welche die sogenannten primitiven auf die sogenannten modernen Gesellschaften ausübten. Unter diesen Einflüssen spielt der künstlerische Bereich die größte Rolle, weshalb »Primitivismus« auch eine künstlerische Strömung charakterisiert. Der Primitivismus ist jedoch weder eine künstlerische Bewegung noch eine Geistesströmung oder eine Form der Philosophie, die nur schwer zu definieren wäre, und auch kein Ausdrucksmittel, das für bestimmte Kunstwerke charakteristisch wäre. Der Primitivismus ist ein Einfluss, eine Prägung, ein »ästhetischer Ansatz«, dem es eigentlich an einer klaren und präzisen Definition mangelt.[64] Die Vielzahl seiner Definitionen über die Jahrzehnte und in der Literatur rechtfertigt seine mittlerweile systematische Verwendung im Plural.

Der Begriff des Primitivismus ist zwar bereits in der Mitte des 19. Jahrhunderts zu finden, aber er bezieht sich auf das Konzept der europäischen »Primitiven«. Gemeint sind jene Künstler des 14. und 15. Jahrhunderts aus Flandern und Norditalien, von denen sich die Maler der zweiten Hälfte des 19. Jahrhunderts inspirieren ließen. Die Ausweitung des Begriffs »Primitivismus« auf die durch afrikanische und ozeanische Künste – damals als »Stammeskunst«[65] bezeichnet – inspirierte Kunst entwickelte sich erst in den 1920er- und 1930er-Jahren. Die Hauptprinzipien des Primitivismus etablierten sich in zwei Etappen: durch das Werk *Primitivism in Modern Painting* von Robert Goldwater (1938), das erste zu diesem Thema; und durch die Ausstellung *»Primitivism« in 20th Century Art* von William Rubin im Museum of Modern Art in New York im Jahr 1984 und die im selben Jahrzehnt folgenden Kritiken.[66]

Im Jahr 1938 veröffentlichte der Kunsthistoriker Robert Goldwater sein Grundlagenwerk zur Geschichtsschreibung des Primitivismus, das wegen seiner formalen und ästhetischen Analysen noch heute Gültigkeit hat. Der Ansatz ist rein formalistisch und berücksichtigt weder historische noch soziale oder kulturelle Fragen in Bezug auf die »Primitiven«. Für Goldwater lässt sich der Primitivismus als Suche nach dem Ausdruck eines Gefühls zusammenfassen: Der Künstler strebt die Vereinfachung der rein optischen Aspekte an, um ein absolutes Bild zu erhalten, das von jeglichem Bezug zur Realität frei ist und die Intensität des (unmittelbaren) Eindrucks vermittelt.[67] Die Vereinfachung wird dann mit Techniken der Naturnachahmung und mit dramatischen Sujets erreicht, die sich auf die »grundlegenden Leidenschaften der Existenz« konzentrieren.[68] Die Reduktion des Sujets auf das Wesentliche führt dazu, dass der Betrachter des Werkes mit einer unmittelbaren Darstellung konfrontiert ist, einem reduzierten Raum, in dem nur die »symbolische« Qualität der Figuren in Erscheinung tritt. Letztere führt zu einer Intensivierung des Bildes, welche die psychische Distanz, die den Betrachter vom Werk trennt, so weit wie möglich verringert. Wenn eine einzige Handlung, eine einzige Person das Werk dominiert, fällt der Blick aufs Wesentliche.[69] Die Geburt des primitivistischen Stils resultiert also aus einer neuen Art der Vereinfachung des Bildes. So erklärt sich auch das plötzliche Interesse an außereuropäischer Kunst, zunächst in den Jahren 1903 bis 1906, das sich dann auf die Zeit bis zum Ersten Weltkrieg ausdehnte.

Für Goldwater spiegelte das, was damals als »Negerkunst« bezeichnet wurde, das Konzept einer neuen ästhetischen Suche wider. Dabei berief er sich auf Carl Einsteins Buch *Negerplastik* aus dem Jahr 1915, das als erstes Werk über afrikanische Kunst gilt und diese erstmals in Europa publizierte. Eine der Hauptthesen Einsteins basiert auf der Analyse des Raumes: Eine durch Malerei oder Skulptur vorgetäuschte Dreidimensionalität schafft eine Illusion, die eine echte emotionale Wahrnehmung des Werkes verhindert. Die afrikanische Skulptur hingegen verkörpert eine reine, von jeder räumlichen Illusion freie Form, die die Schaffung eines mentalen Raums ermöglicht, in dem diese Form erscheint.[70] Die kubistische Malerei konstruierte folglich keinen Raum mehr für den Betrachter, sie schlug eine Vielzahl von Blickwinkeln vor, aus denen eine neue Konstruktion des Raumes resultierte, die Einstein als »logische Konsequenzen der Plastizität« bezeichnet.[71] Die afrikanische Maske, die er als aussagekräftigstes Beispiel heranzieht, ist also kein Ausdruck von Gleichgültigkeit, Unpersönlichkeit oder Unmenschlichkeit, wie sie bis dahin gedeutet wurde, sondern im Gegenteil letzte Intensität der »Ausarbeitung einer geklärten Struktur«, die eine Art »fixierte Ekstase« zu erzeugen vermag.[72]

Eine von Goldwaters Schlussfolgerungen dazu ist, dass die Kunst der »Primitiven« zwar die Maske, nicht aber das Porträt kennt; somit ist es jetzt nicht mehr notwendig, auf der psychologischen Charakterisierung der menschlichen Figur zu beharren, sie soll im Gegenteil relativ unpersönlich, fast

Abb. 8 | Pablo Picasso, *Les Demoiselles d'Avignon*, 1907
Öl auf Leinwand, 180 × 230 cm
Museum of Modern Art, New York. Legat Lillie P. Bliss

anonym sein, um sie zu einer unpersönlichen Figur, einem Symbol zu machen.[73] So stellt sich der Primitivismus nach dieser ersten Definition als »eine produktive Haltung der Kunst« dar.[74] Bei einer Untersuchung des Primitivismus ist vor allem zu berücksichtigen, dass die Sichtweise der untersuchten Periode stets in einer Veränderung begriffen ist, und so stellt die Bezugnahme auf eine andere Kultur eine Möglichkeit dar, alle Fehler aufzudecken, die die sich verändernde Gesellschaft macht. Afrikanische, ozeanische oder indianische Kunst wären also ein Katalysator für modernitätsspezifische ästhetische Vorstellungen, der Bezug zwischen diesen Objekten und den Malern des Primitivismus wäre nicht mehr als eine Metapher gewesen, und in ihnen eine direkte Beziehung oder eine formale Anleihe zu sehen, wäre eine Fehleinschätzung. Modiglianis Karyatiden, Picassos »magische«[75] Gesichter und Brancusis Skulpturen wären also zufällig entstandene Formen, eine ästhetische Erneuerung und hätten eine aus dem Schock der Konfrontation mit außereuropäischer Kunst resultierende eigene Identität.

Hier geraten Goldwaters Thesen an ihre Grenzen: Wenn wir auch heute noch seine Überlegungen hinsichtlich der Mittel der Bildintensivierung sowie der Vereinfachung und Verallgemeinerung der Formen als Ursprung eines Weges zur Abstraktion anerkennen, so bleiben seine Ausführungen zum Verständnis außereuropäischer Kunst doch im Kontext der späten 1930er-Jahre verhaftet. Sie sind geprägt von der sehr europäischen Kunstdefinition, welche die »primitiven« Künste erst durch eine Aneignung des Westens als Kunst ansieht. Fast fünfzig Jahre später wurden dieselben Vorwürfe gegen William Rubin, Kurator des Museum of Modern Art in New York, und seine Annäherung an den Primitivismus erhoben. Im Jahr 1984 präsentierte das Museum die Ausstellung *Primitivism*, und ihr Kurator veröffentlichte parallel dazu das Werk *»Primitivism« in 20th Century Art. Affinity of the Tribal and the Modern*, das unterschiedliche Auswirkungen hatte. Die sehr erfolgreiche Ausstellung wollte einen historischen Überblick über die Begegnung der modernen westlichen Kunst mit den sogenannten »primitiven« Künsten geben. Sie demokratisierte die Begriffe »Primitivismus« und »primitivistisch«. Doch die wichtigste Konsequenz war, dass dadurch in den Vereinigten Staaten eine Primitivismus-Debatte ausgelöst wurde, in deren Folge verschiedene Bücher erschienen, vor allem das von James Clifford, *The Predicament of Culture: Twentieth-Century Ethnography, Literature, and Art* im Jahr 1988. Die ersten einhelligen Kritikpunkte an William Rubin richteten sich zum einen gegen die Wahl des Begriffs »primitiv«, der unter Einbeziehung der Konnotation, die er impliziert – nämlich die Herrschaftsgewalt einer Gesellschaft und einer Kultur über eine bzw. über mehrere andere –,[76] verwendet wurde, und zum anderen gegen das methodische und theoretische Vorurteil, auf dem die Ausstellung basierte.[77] So würdigte diese Ausstellung, auch wenn sie den Namen *Primitivismus* trug, durch den explizit akzeptierten, überheblichen Ethnozentrismus des Kurators letztlich nur die von »primitiver« Kunst beeinflusste westliche Kunst, ohne den ausgestellten afrikanischen, ozeanischen und amerikanischen Artefakten Beachtung zu schenken. Für Rubin war Primitivismus vor allem »das Interesse moderner Künstler an der Kunst und Kultur der Stammesgesellschaften«, begleitet von

Abb. 9 | Henri Matisse, *Der Tanz I*, 1909, Öl auf Leinwand, 259,7 × 390 cm, Museum of Modern Art, New York, Schenkung Nelson A. Rockefeller zu Ehren von Alfred H. Barr

einer »Wertschätzung archaischer, volkstümlicher oder antiker Kunstformen und der Förderung des Aufkommens einer natürlichen Sensibilität gegen den Akademismus«.[78] Auch die vom Kurator gewählte Methodik muss angezweifelt werden: Die Frage des Modernismus wird als Suche nach »Prinzipien« dargestellt, die Kulturen, Politik und Geschichte transzendieren, sowie nach »gemeinsamen Nennern« unter »primitiven«[79] Völkern, wie es in der Ausstellung heißt. Diese Gemeinsamkeiten wurden in einem Raum der »Affinitäten« präsentiert, der nicht nur viel diskutiert, sondern auch als einer der wissenschaftlichen Irrwege der Ausstellung kritisiert wurde.

Die zahlreichen Anschuldigungen gegen Rubins Ausstellung richteten sich im Grunde alle gegen ein Hauptproblem in Bezug auf die kulturelle Aneignung. Während für den Kurator der Primitivismus ein Kreativitäts- und Reflexionskonzept der westlichen Kunst war, die sich wegen des Aussehens und der Form am »primitiven« Objekt inspirierte, ohne die anthropologischen, sozialen, kulturellen und religiösen Dimensionen zu berücksichtigen, waren andere Kunsthistoriker wie Thomas McEvilley der Ansicht, dass es sich schlichtweg um eine Aneignung handelte, die aus dem Bedürfnis der westlichen Kunst resultierte, ihre Ästhetik im Hinblick auf die Empfindsamkeiten der jeweiligen Zeit zu erneuern.[80] Diese Frage war umso aktueller, als 1983, kurz vor der Eröffnung der Ausstellung, Jean Clair, Kurator der Grafischen Sammlung des Centre Pompidou, einen Essay veröffentlicht hatte, in dem er den systematisch passiven Charakter der »primitiven« Kunst in der Primitivismus-Debatte anprangerte. Da diese passive Sichtweise annahm, dass die Aneignung kreativ sei, war die Frage somit hinfällig.[81] Die Ausstellung *Primitivismus* unterschied radikal zwischen dem ästhetischen und dem anthropologischen Diskurs, nicht nur, weil die Kunstwelt jede wissenschaftliche Untersuchung »primitiver« Objekte per se ablehnte, sondern auch, weil Anthropologen oft nicht an den künstlerischen Qualitäten der Objekte interessiert waren, die sie selbst sammelten und studierten.[82]

Trotz der vielfältigen zeitgenössischen Kritik an der Ausstellung im Museum of Modern Art sah diese den Primitivismus doch unter einem neuen Blickwinkel und ergänzte die von Goldwater vorgeschlagene Definition. Sie bat eine Reihe von Beweisen für die tiefe, wenn auch schwer greifbare »Affinität« zwischen dem »Primitiven« und dem Modernen. Es gelang Rubin zu zeigen, dass im Gegenteil zu Goldwaters Idee von der Metapher die direkten Anleihen der historischen europäischen Avantgarde bei nichteuropäischen (vor allem afrikanischen, ozeanischen und amerikanischen) Kunstwerken massiv und weit verbreitet waren.[83] Vor allem aber eröffnete diese Ausstellung eine historiografische Diskussion rund um die heikle Frage des »Primitiven«, die sich bis heute fortsetzt. Ende der 1980er-Jahre ist eines klar: Es gilt zu verhindern, dass Kritiker und Händler die »primitive« Kunst auf eine Kunst der Beeinflussung reduzieren. Darüber hinaus geht es darum, sich der Annexion der primitiven Kunst durch die westliche Kunst zu widersetzen.

Anfang der 2020er-Jahre eine auf der Idee des »Primitivismus« basierende Ausstellung zum hundertsten Todestag Modiglianis zu realisieren bedeutet auch, sich unweigerlich Anschuldigungen aller Art auszusetzen, denselben Vorwürfen wie in den späten 1980er-Jahren Rubins Ausstellung im Museum of Modern Art: Die vermeintliche Annahme von »Affinitäten« zwischen allen außereuropäischen Kunstformen, unter Missachtung der Unterschiede, die in den letzten dreißig Jahren erforscht und bekräftigt wurden; eine Anknüpfung an die europäisch orientierte Vision der Kunstgeschichte, Garant einer Kunstdefinition, die den Werken der »Primitiven« erst Anfang des 20. Jahrhunderts durch den primitivistischen Einfluss einen Wert als Kunstwerk zusprach; oder eine Ausblendung der jüngsten Arbeiten – soziale und politische Kunstgeschichte, postkoloniale Studien, transnationale Kunstgeschichte – zugunsten einer Wiedereinführung der Trennungen und Brüche zwischen Ländern, Künstlern, Schulen und Epochen: Methoden, welche die heutigen Kunsthistoriker im Namen des Fortschritts der Forschung und auf der Suche nach Interpretationen aufgeben sollten.

Wie aber kann eine Ausstellung zum hundertsten Todestag eines Künstlers stattfinden, ohne dass dieser im Mittelpunkt steht? Wie kann man es vermeiden, eine große monografische Ausstellung über Amedeo Modigliani zu machen? Kann man seine Beziehung zum Primitivismus als neuen Interpretationsschlüssel sehen? Die Idee ist nicht neu, ich habe sie schon 2002 mit der Feststellung eingeführt, dass Modigliani ganz so wie seine Zeitgenossen bereits zu dem Zeitpunkt ein Maler der Avantgarde war, als er von Kunsthistorikern noch missachtet und auf den Status eines kitschigen und uninteressanten Künstlers reduziert wurde. Wie Picasso mit *Les Demoiselles d'Avignon* (Abb. 8), Matisse mit seinen Tänzerinnen (Abb. 9) und Derain mit seinen *Badenden* (Kat. 60) erforschte auch Modigliani analytisch die Figur, vorzugsweise in Form weiblicher Akte, und schuf seine Karyatiden (Kat. 21, 24).[84] Fast zwanzig Jahre später, während die Studien über den Begriff des »Primitivismus« und seine Ableitungen in Frankreich, Europa und in den Vereinigten Staaten voranschreiten, wird Modigliani noch immer nicht als eine der zentralen Figuren dieser Kunstrichtung angesehen. Warum sollte man auf dem Höhepunkt seiner »Wiederentdeckung« und zu einer Zeit, da Museen wie das Lille Métropole, Métropole Musée d'Art Moderne, d'Art Contemporain et d'Art Brut (LaM) in Villeneuve d'Ascq oder die Tate Modern in London dem Maler große Retrospektiven widmen und die Jagd nach Fälschungen intensiver ist denn je, Modigliani nicht diese Hundertjahrfeier widmen und sein Image als Avantgardemaler endgültig etablieren?

Und was läge näher, als ihn direkt neben Picasso zu stellen – seinen Zeitgenossen, Freund, Kollegen und Rivalen –, der für den Höhepunkt des »primitivistischen« Einflusses steht, der »Held«,[85] dem die »modernistische Revolution«[86] manchmal allein zugeschrieben wird? Beide Männer, Modigliani und Picasso, standen unter dem Einfluss des »Anderswo«; beide behandelten dieses Gebiet einige Jahre lang fast auf die gleiche Weise, wenn auch mit fast gegensätzlichen Methoden. Beide Männer gilt es noch mit ihren primitivistischen Zeitgenossen Brancusi, Matisse oder Derain zu vergleichen. Beide Männer haben sich in jener Zeit der vielfältigen Einflussnahmen auf unterschiedliche Art hervorgetan und gegenseitig beeinflusst. Beide Künstler entsprechen durch die Vereinfachung der Formen und deren Intensivierung

Abb. 10 | Amedeo Modigliani, *Frauenkopf im Profil*, 1907
Öl auf Leinwand, 35,5 × 29,5 cm, Privatsammlung

Goldwaters Primitivismus-Definition. Beide Künstler zählen durch ihre direkten Entlehnungen aus außereuropäischen Werken zum von Rubin skizzierten Primitivismus. Beide Künstler waren fasziniert vom ethnografischen Museum im Palais du Trocadéro, in dieser Zeit der Kolonialexpansion der europäischen Mächte und des wachsenden Interesses für afrikanische, ozeanische und amerikanische Kunst. Beide begeisterten sich für das »Primitive«, während ihre Gesellschaft im Paradox von Passion und Verachtung für das »Primitive« gefangen war.[87] Wenn wir nicht mehr von primitivistischen Künstlern sprechen können, weil der Primitivismus im Singular keinen Sinn mehr macht, dann wollen wir von einer »primitivistischen Revolution« sprechen, um diese Veränderungen, diese Einflüsse und diese vielfältigen Primitivismen zu beschreiben, welche die Künstler in Frankreich und Deutschland beeinflussten.

Zwei Künstler der Avantgarde

Wir haben über die Perioden und Inspirationsquellen gesprochen, über die ästhetischen Theorien über die Primitivisten, über Fragen der Entlehnung und Aneignung. Nun ist es an der Zeit, die Revolution des Primitivismus anhand der Veränderungen zu untersuchen, die sie im Werk von Modigliani, Picasso und einigen ihrer Zeitgenossen ausgelöst hat. Die Methodik ist wie folgt: Um nicht wieder in das alte Muster zu verfallen, die außereuropäische Kunst in ihrem Verhältnis zum europäischen Primitivismus als passiv hinzustellen, muss die Gewichtung auf einzelnen wenigen Kunstwerken liegen, um ihre unbestrittene Rolle als Vorbilder oder Richtgrößen zu verdeutlichen. Anstatt einer großen, oberflächlich untersuchten Auswahl an Objekten ist vielmehr eine begrenzte Zahl sorgfältiger zu betrachten. Im selben Sinn sollten die außereuropäischen Kunstwerke nicht im Vergleich mit ihren europäischen Gegenstücken untersucht werden, in der vergeblichen Hoffnung, vermeintliche »Affinitäten« zu finden. Schließlich sollte man es vermeiden, »moderne« Objekte eins nach dem anderen in dem Bestreben mit »primitiven« zu vergleichen, um zu zeigen, welches »moderne« von welchem »primitiven« Objekt unmittelbar inspiriert wurde. Vielmehr soll der Fokus auf den allumfassenden visuellen Eigenschaften eines Kunstwerks liegen, entsprechend den allgemeinen, oben umrissenen Definitionen des Primitivismus: Diskurs, Vereinfachung, Intensität, Entlehnung und Ikonografie.

Die Künstler der Moderne wollten sich von der Vormundschaft des klassischen westlichen Kunsterbes befreien und begannen, sich für die Kunst Afrikas, Südostasiens, Ozeaniens, Nord- und Südamerikas und sogar der Antike zu interessieren. Der Umgang mit diesen Werken hing aber vom jeweiligen Künstler ab, jeder Vertreter des Primitivismus war also auf seine Weise einzigartig. Dennoch unterlagen sie alle denselben Einflüssen und lebten am selben Ort. Und sie kannten die Bilder und Skulpturen der anderen. Und trotz der vielfältigen Formen primitivistischer Einflussnahme spürt man im Werk dieser Künstler die stetige kulturelle und intellektuelle Bereicherung, die sie durch diesen Einfluss erfuhren. Somit drängt sich die Schlussfolgerung auf: Modigliani war ein Künstler der Avantgarde. Zwischen 1906 und 1914 glich seine künstlerische Suche der seiner Zeitgenossen:[88] Frauen, Theater, der Genuss von Alkohol und Drogen spielten bei Modigliani eine ähnliche Rolle wie bei seinen Kollegen, insbesondere Picasso.

Abb. 12 | André Derain, *Porträt des Vaters des Künstlers*, 1904/05
Öl auf Leinwand, 28,5 × 23,7 cm, Musée des Beaux-Arts, Chartres

Abb. 11 | André Derain, *Porträt von Vlaminck*, 1905
Öl auf Leinwand, 41 × 33 cm, Musée des Beaux-Arts, Chartres

Zu jener Zeit konzentrierte sich das ästhetische Studium der Avantgarde auf die analytische Erforschung der Figur, vorzugsweise weiblich und nackt. Das Sujet der *Badenden*, seit mehreren Jahrhunderten ein wiederkehrendes Thema in der Kunstgeschichte, erreichte Ende des 19. und zu Beginn des 20. Jahrhunderts seinen ästhetischen Höhepunkt. Auguste Renoir, dann Paul Cézanne behandelten das Thema in einer Vielzahl von Varianten. Hier untersuchte der Meister aus Aix-en-Provence die Analogien zwischen Frau und Natur, hier analysierte er auf vollendete Weise die Interaktion der Formen beider. In der Folge griffen auch Georges Braque und Derain das Thema der *Badenden* auf, der eine 1907, der andere von 1905 bis 1909. Der Höhepunkt wurde mit Picasso und *Les Demoiselles d'Avignon* erreicht, das Werk, 1907 in Paris entstanden, steht traditionell für die Geburt des Kubismus. Picasso führte *Les Demoiselles d'Avignon* kurz vor dem Besuch des Musée d'Ethnographie du Trocadéro aus, behauptete aber seltsamerweise, zu diesem Zeitpunkt nicht mit afrikanischer Kunst vertraut gewesen zu sein.[89] Dennoch übte sie durch die Werke seiner Zeitgenossen, Vorläufer des Primitivismus wie Cézanne, bereits einen Einfluss auf ihn aus. Nach der Entdeckung des Trocadéro waren seine Bilder offenkundig vom Primitivismus inspiriert und die Konstruktion des Bildraumes entsprach den von Goldwater später dargelegten Prinzipien.

Modigliani, der Intellektuelle und Kulturliebhaber, suchte, entdeckte, lernte, nahm alles auf: Als er 1906 nach Paris kam, inspirierten ihn Cézannes

Abb. 13 | Amedeo Modigliani, *Jean-Baptiste Alexandre mit Kruzifix*, 1909
Öl auf Leinwand, 92 × 75 cm, Musée des Beaux-Arts, Rouen

Werke, die in der Galerie Bernheim ausgestellt waren, und er bewunderte die plastischen Arbeiten Paul Gauguins, die im Herbstsalon gezeigt wurden. Modigliani interessierte sich aber auch für afrikanische, ozeanische, etruskische, archaisch-griechische, amerikanische und khmerische Kunst. Daraus schuf er »seine ideale Frauenfigur«: die Karyatide. Aber im Gegensatz zu Picasso, dessen *Les Demoiselles d'Avignon*[90] er wohl unvermeidbar kannte, trieb er das Studium und die Erforschung der »idealen Frauenfigur« auf die Spitze und ging viel weiter als die anderen Künstler seiner Generation, die sich alle an diesem Thema versucht haben.[91]

Auch als Modigliani noch keinen Umgang mit den Künstlern der Pariser Avantgarde hatte, deckten sich seine stilistischen Anliegen doch bereits mit ihren, wie der *Frauenkopf im Profil* zeigt (Abb. 10) – ein Werk, das er im Dezember 1907 mit in das Atelier in der Rue du Delta brachte und dann Paul Alexandre widmete: Die Behandlung der Textur – insbesondere des Hintergrunds – ähnelt bestimmten fauvistischen Werken Derains, wie dem *Porträt von Vlaminck* von 1905 (Abb. 11) oder auch dem *Porträt des Vaters des Künstlers* von 1904/05 (Abb. 12). Dieses Porträt weist hinsichtlich der Textur eine gewisse Ähnlichkeit mit Modiglianis Gemälde *Kopf der Frau mit dem Schönheitsfleck* auf. Sicher ist jedoch, dass Modigliani zu der Zeit, als er diese Porträts malte – das war wohl vor seiner Ankunft in Paris –, noch nicht mit den Werken des Fauvismus vertraut war. Sein eigener künstlerischer Ansatz und seine persönliche Suche führten ihn also zu den gleichen Schlussfolgerungen wie seine Zeitgenossen. Das belegt auch das außergewöhnliche Porträt des Vaters von Paul Alexandre, *Jean-Baptiste Alexandre mit Kruzifix* (Abb. 13): Hier finden wir die gleiche Ausdruckskraft des Gesichts wie bei Derains *Porträt des Vaters*, so als würden die Patriarchen die gleichen ästhetischen Merkmale aufweisen.

Modigliani interessierte sich auch für das andere bedeutende Thema der damaligen Pariser Avantgarde: das Theater. Während Picasso die Zeit von Mai bis August 1906 in Gósol in den Pyrenäen verbrachte, wo er sich für das Theater begeisterte,[92] besuchten Modigliani und Paul Alexandre die Pariser Variétés:

»Modigliani liebte das Theater, diese Welt zwischen Traum und Wirklichkeit. Im Theater schien es uns, als würden wir mit offenen Augen träumen. Eine ganze Serie seiner Zeichnungen war vom Theater inspiriert. Die Bühnenbeleuchtung in ihrer Intensität, ihrer Farbe, mit den so eigentümlichen Lichtquellen, so wenig natürlich (damals nämlich noch an der Rampe zu Füßen der Schauspieler), erschienen diesem geübten Auge wie ein Traumbild. Das alte Gaîté-Rochechouart ließ durch seine Spiegel an den Seitenwänden die Zuschauer von bestimmten Plätzen aus, die wir stets wählten, das Schauspiel der so lebendigen wirbelnden Miss Lawler in mehrfacher Brechung sehen, eine Miss Lawler, die durch die unendliche Wiederholung ihres Abbildes in den Seitenspiegeln zu einer ganzen Legion von kleinen Miss Lawlers wurde. Ein anderes Mal wieder schien die Bühne wie ein glänzendes Viereck am Ende eines langen dunklen Ganges, vier Wände, sprühend vor pittoresken Menschen …«[93]

Modigliani fertigte in dieser schaffensfrohen Zeit Dutzende von Zeichnungen an, von Themen, die er auf der Suche nach einer »intensiven visuellen Erfahrung«[94] ständig wiederholte und die es ihm erlaubten, sich der »Vollendung zu nähern«.[95]

Im Theater geht es aber auch um Masken. Was ist eine Maske? Es ist ein Gesicht, das sich über ein anderes Gesicht legt: Das erste verdeckt – oder schützt – das zweite und dieses unsichtbare ist das wahre Gesicht. Die Maske im Theater verbirgt die Schauspieler, die sich anders präsentieren, als sie in Wirklichkeit sind. Sie stellt auch eine Kunstform an sich dar, wie in der Commedia dell'Arte oder im japanischen Theater. In der Kunst steht die Maske für andere Symbole: In der afrikanischen Stammeskunst kleidet sie den Zauberer bei verschiedenen Zeremonien (Abb. 14), in der ägyptischen Kunst schmückt sie das mumifizierte Gesicht des Pharaos oder symbolisiert die ägyptischen Götter. Für den Künstler – ob Modigliani oder Picasso – erfährt die zweifache Bezugnahme auf das Theater und auf die außereuropäischen Künste hier seine volle Bedeutung.

Die Maske wäre also eine Struktur, »ganz nach dem Wunsch des Maskierten, der so entweder sein eigenes Gesicht schützt, um widersprüchliche und zerrissene Züge zu verbergen oder um die Kräfte der Außenwelt zu bannen … Wenn Picasso mit seiner Reise nach Gósol zum ursprünglichen Leben zurückkehrte, so tat er das, um einige der Geheimnisse dieses ursprünglichen Lebens wieder zu entdecken.«[96] Als Picasso im folgenden Jahr im Musée d'Ethnographie du Trocadéro die Masken entdeckte, bestätigte er: »Die Masken waren eben nicht Bildwerke wie andere auch. Gar nicht. Sie waren etwas Magisches … waren Fürsprecher, seit damals kenne ich das Wort. Fürsprecher – gegen alles, gegen unbekannte, drohende Geister. Ich habe verstanden, warum ich Maler wurde.«[97]

Bei Modigliani findet die »Theorie der Maske« ihren Höhepunkt in den Karyatiden. Diese ist nichts anderes als ein frontal oder im Profil dargestelltes Gesicht, sehr hieratisch, absichtlich ausdruckslos: Die Maske verbirgt die wahre Natur des Individuums. Modiglianis Suche hatte nur ein Ziel: Die ideale skulpturale Figur zu finden, diejenige, welche die beste menschliche Introspektion durch eine anonyme und ausdruckslose Figur ermöglichte. Zwei Werke illustrieren diese Demonstration auf bemerkenswerte Weise: Die *Rote Büste* auf schwarzem Grund und die *Große Rote Büste* (Kat. 1) aus der früheren Netter-Sammlung. Die unbestreitbare Kraft dieser Werke, die intensive Präsenz der Figur trotz der Leere in der Darstellung bezeugen, dass Modigliani in seiner Malerei diese introspektive Erforschung der menschlichen Seele meisterhaft beherrschte. Aufgrund seiner kränklichen Verfassung musste er hingegen darauf verzichten, eine solche Perfektion auch bei den Skulpturen zu erreichen, denn diese Arbeit erwies sich schnell als zu anstrengend, wie Paul Alexandre bezeugt:

»Erfindung, Vereinfachung und Reinigung der Form prägen seine Zeichnungen. Darum musste ihn die afrikanische Kunst fesseln. Modigliani hat auf seine eigene Art die Linien der menschlichen Gestalt rekonstruiert, indem er sie in den afrikanischen Kanon einfügte. Alle Versuche, Linien zu vereinfachen, amüsierten ihn, und zugleich interessierte er sich dafür in Hinblick auf seine eigenen Studien … Dieses Streben nach Vereinfachung der Komposition faszinierte ihn auch an einigen Bildern des Zöllners Rousseau oder an Czobels Kirmesbudenfiguren … Wenn eine Gestalt seine Gedanken beschäftigte, zeichnete er fieberhaft ohne Korrekturen mit ungeheurer Geschwindigkeit, fing an einem Abend bei Kerzenlicht zehnmal mit der gleichen Zeichnung neu an, bis er schließlich die gewünschte Kontur in einem Wurf zu seiner Zufriedenheit erzielte … Als Bildhauer arbeitete er auf die gleiche Art: Er machte lange Zeit nur Entwürfe und nahm dann direkt den Block in Angriff. Unterlief ihm ein Fehler, nahm er einen anderen Block und fing von neuem an. Beim Grobbehauen arbeitete er sich wund und geriet in Wut. Sein Wunschtraum war es, einen Handwerker bezahlen zu können, der ihm das Grobbehauen des Blocks abnahm. Schließlich gab er die Bildhauerei wegen der großen körperlichen Anstrengung beim direkten Behauen auf. Während seines ganzen Lebens schuf er nur etwas mehr als zwanzig Skulpturen. Fast alle sind in Wirklichkeit die gleiche Statue, mit der er immer wieder neu begann, um eine definitive Form zu erreichen, was ihm, wie ich glaube, nie gelang.«[98]

Bleiben noch Alkohol und Drogen. Zum Thema »Modigliani, alkohol- und drogensüchtig« scheint alles gesagt. Aber auch hier wird das Bild des Künstlers durch die Legende vom »artiste maudit« verfälscht. Ist bekannt, dass Picasso seit der Begegnung mit einem Paar in der »Closerie des Lilas« im Jahr 1905 Opium rauchte?[99] Paul Daix zufolge ist schwer zu sagen, ob sich das in der Malerei dieser Zeit niederschlug, aber der abwesende Ausdruck auf dem Bild *Junge mit Pfeife* legt nahe, dass er etwas anderes als Tabak rauchte.[100] In seinem *Carnet Catalan* findet sich ein Drogenrezept.[101] Picassos damalige Gefährtin Fernande Olivier berichtete auch von einem Haschischabend im Herbst 1907:

»Apollinaire schrie wie verrückt vor Freude, da er sich im B[ordell] glaubte. Max Jacob, in einer Ecke, war glückselig und offenbar mehr als die anderen an diese Art von Empfindungen gewöhnt. Was Picasso betrifft, so

Abb. 14 | Maske, Fang, Gabun, vor 1906, bemaltes Holz, 42 × 28,5 × 14,7 cm
Musée National d'Art Moderne, Centre Pompidou, Paris. Legat Mme André Derain, ehemals Sammlung André Derain

hatte er eine Art Nervenkrise und rief, er habe die Fotografie entdeckt, nun könne er sich umbringen und habe nichts mehr zu lernen«.[102]

Erst der tragische Tod des deutschen Malers Karl-Heinz Wiegels brachte Picasso dazu, solche Experimente einzustellen:

»Nach einem ereignisreichen Abend, an dem er [Wiegels] nacheinander Äther, Haschisch und Opium geraucht hatte, erholte er sich nicht wieder, kam nicht mehr zur Besinnung und erhängte sich einige Tage später in seinem Wahn«.[103]

Solche Séancen mit Haschisch oder auch mit anderen Drogen waren also zu dieser Zeit weit verbreitet und man musste kein »artiste maudit« sein, um daran teilzuhaben. Das bezeugt auch Paul Alexandre, der voll und ganz für sich in Anspruch nahm, Modigliani mit der Wirkung von Haschisch vertraut gemacht zu haben:

»Manchmal hielten wir im kleinen Kreis zu experimentellen und künstlerischen Zwecken ›Haschischséancen‹ ab. Haschisch führt zu außergewöhnlichen Visionen, und das ist natürlich für einen Maler faszinierend. Mein Freund Le Fauconnier hat mir zum ersten Mal Haschisch gegeben; er war es auch, der die erste ›Séance‹ in seinem Atelier in der Rue Visconti organisierte, zusammen mit seinem Freund Georges Bonamour, ein feiner Kerl, der seinerseits Le Fauconnier eingeweiht hatte; Le Fauconnier wiederum hat ein

Abb. 15 | Amedeo Modigliani, *Paul Alexandre*, 1909
Öl auf Leinwand, 100 × 81 cm, Privatsammlung

recht interessantes Portrait von Bonamour gemalt … Durch Le Fauconnier haben wir alle begonnen, Haschisch zu probieren. Ich habe noch phantastische Skizzen von Henri Gazan, die er machte, als wir völlig vom Haschisch benebelt waren, Drouard, Desmaret, Jean Dupont waren dabei … Auch Modigliani interessierte sich sehr für unsere Experimente mit Haschisch. … In der Métro abends mit Modigliani, nachdem die Séance beendet war, fühlten wir uns schon wieder nüchtern, doch der ankommende Zug hatte in dem Gewölbe einen unglaublichen Effekt: Es war, als käme ein gewaltiges Orchester wie von einem Wirbelwind getragen heran, mit Tausenden von Zimbeln von außergewöhnlicher Stärke … Dabei war es ganz einfach der Lärm der Métro auf den Gleisen. Modigliani hat meines Wissens nie im Rauschzustand gezeichnet, doch er erinnerte sich an seine Visionen bei der Arbeit an der Vereinfachung und größtmöglichen Reinheit von Formen und Farben, wie sie ja immer typisch für ihn war. Unter der Wirkung von Haschisch begann er auch seine Studien über Marionetten, die ihn vor allem durch ihren steifen und mechanischen Aspekt entzückten und auch uns eine Zeitlang begeisterten.«[104]

Drogen führten also bei diesen Künstlern unbestreitbar zu einer Bewusstseinserweiterung. »Das Besondere an den Erfahrungen mit den Drogen ist das Gefühl, dass sich diese Gabe von ganz allein einstellt und dass folglich jede Anstrengung unnötig ist, so als wäre alles schon getan und lohnte der Mühe nicht mehr, es zu tun.«[105] Doch Josep Palau i Fabre erklärte weiters: »… die Droge gibt uns – in verstärktem Maße – nur das, was wir schon in uns tragen.«

Ihm zufolge habe Picasso, als er glaubte, unter dem Einfluss von Haschisch die Fotografie entdeckt zu haben, gemeint, er enthülle »das geheime Wesen der Dinge mit seinem Auge. Wenn Picasso zeichnet oder malt, dann sieht er auf dem Papier oder der Leinwand schon das, was er zeichnen oder malen will, sein Auge projiziert es, denn in seiner Pupille ist alles präfiguriert. Sehr oft tut er nichts weiter, als das, was er sieht, nachzuzeichnen«.[106] Demnach ist »Die Kunst Picassos … visionär: es gelingt ihm, anders zu sehen als mit normalem Sehvermögen; und die Visionalität ist, nach Webster, die Handlung oder das Vermögen, Visionen des Denkens wie jene der Einbildung wahrzunehmen«.[107] Die Kunst Modiglianis ist eine Offenbarung, und Offenbarung ist, nach Webster, »entschleiern«, »aufschließen«.[108] Demnach hätte Modigliani also auch entdeckt, dass er durch Alkohol- und Drogenkonsum das Ideal der »Erfüllung« erreichen konnte, die ihm jene persönliche Introspektion ermöglichte, die seinem künstlerischen Schaffen zuträglich war. Anders als die Legende es wollte, war Modigliani weder Alkoholiker noch drogenabhängig.[109] Er arbeitete nicht unter dem Einfluss von Drogen oder Alkohol. Hingegen brauchte er sie, um wie ein »Seher« in die menschliche Seele einzutauchen, um den anderen zu durchdringen und zu entdecken, was tief in ihm verborgen war. »Alkohol isoliert uns von der Außenwelt, hilft

Abb. 16 | Amedeo Modigliani, *Paul Alexandre*, 1911/12
Öl auf Leinwand, 92 × 60 cm, Privatsammlung

Abb. 17 | Pablo Picasso, *Olga im Lehnstuhl*, 1918
Öl auf Leinwand, 103 × 88,8 cm, Musée National Picasso-Paris

uns, in unser Inneres vorzudringen, indem wir die Welt draußen nutzen«;[110] »Ich interessiere mich für den Menschen. Sein Gesicht ist die höchste Schöpfung der Natur. Ich nutze es unermüdlich«.[111] So nahm Modigliani äußerst konzentriert nicht mehr das Modell wahr, sondern drang in das tiefe Wesen des Menschen vor.

»Ich sehe ihn noch vor mir, wie er in Hemdsärmeln und mit struppigem Haar versuchte, meine Züge auf die Leinwand zu bannen. Von Zeit zu Zeit streckte er seine Hand nach einer Flasche aus, und bald bemerkte ich die Wirkung des Alkohols: Er wurde leidenschaftlich erregt durch seine Arbeit und ich existierte nicht mehr für ihn. Er war so vertieft, dass er Italienisch mit mir sprach …«[112] So erlebte Lunia Czechowska den Künstler, als er das erste Porträt von ihr malte.

Die Schlussfolgerung liegt auf der Hand: Modigliani war in der Tat ein Künstler der Avantgarde, das belegt auch seine erste internationale Ausstellung – im Jahr 1917 wurden seine Werke neben jenen von Wassily Kandinsky und Paul Klee in der DADA-Galerie in Zürich gezeigt. Sollte es noch weiterer Beweise bedürfen, dann schauen wir uns das Porträt von Paul Alexandre aus dem Jahr 1911 an; hinter dem Modell sieht man nicht mehr, wie auf früheren Porträts, das Gemälde *Die Jüdin* (Abb. 15), sondern eine Unendliche Säule mit der Signatur des Künstlers auf dem Sockel (Abb. 16). Diese Unendliche Säule – Symbol für die Suche nach Unendlichkeit – wurde fünf Jahre später ein Lieblingssujet Brancusis.[113] Sollte Modigliani der Initiator für eines der Meisterwerke des rumänischen Bildhauers gewesen sein?

Das Jahr 1914 markierte einen entscheidenden Wendepunkt in Modiglianis Werdegang: Aus gesundheitlichen Gründen gab der Künstler die Bildhauerei endgültig auf. »Die Bildhauerei ist eine zu schwere Arbeit. Ich werde beginnen zu malen«.[114] Von 1914 bis 1920 widmete sich Modigliani ausschließlich der Malerei – er war ein »Kriegsmaler«.[115] Am 2. August 1914 begann die Mobilmachung. Das Pariser Künstlerleben veränderte sich schlagartig. Alle wurden einberufen: Braque, Derain, Charles Camoin, Roger de la Fresnaye, Albert Gleizes, Moïse Kisling, František Kupka, Fernand Léger, Matisse, Jean Metzinger, Maurice de Vlaminck. Das war das Ende des Ateliers in der Rue du Delta. Am 3. August wurde auch Paul Alexandre einberufen, er verbrachte den ganzen Krieg an vorderster Front,[116] Maurice Drouard, Jacques Doucet und André Coustillet kehrten nicht mehr zurück. »Bevor er Italien verließ, hatte er sich der Musterung unterziehen müssen und war für den Militärdienst als zu kränklich befunden worden.«[117] Modigliani blieb allein in Paris, obwohl seine Familie sich seine Rückkehr nach Italien wünschte. Auch ein anderer Künstler war in dieser schwierigen Zeit in Paris: Picasso, der Spanier.[118] Ironie des Schicksals, der Intellektuelle und der Intuitive – beide nicht eingezogen, beide in Paris. Zu dieser Zeit war das Leben in der Hauptstadt nicht einfach; die Front war nah, Soldaten waren in der Stadt allgegenwärtig und auf den

Abb. 18 | Pablo Picasso, *Madame Rosenberg und ihre Tochter*, 1918
Öl auf Leinwand, 130 × 95 cm, Musée National Picasso-Paris

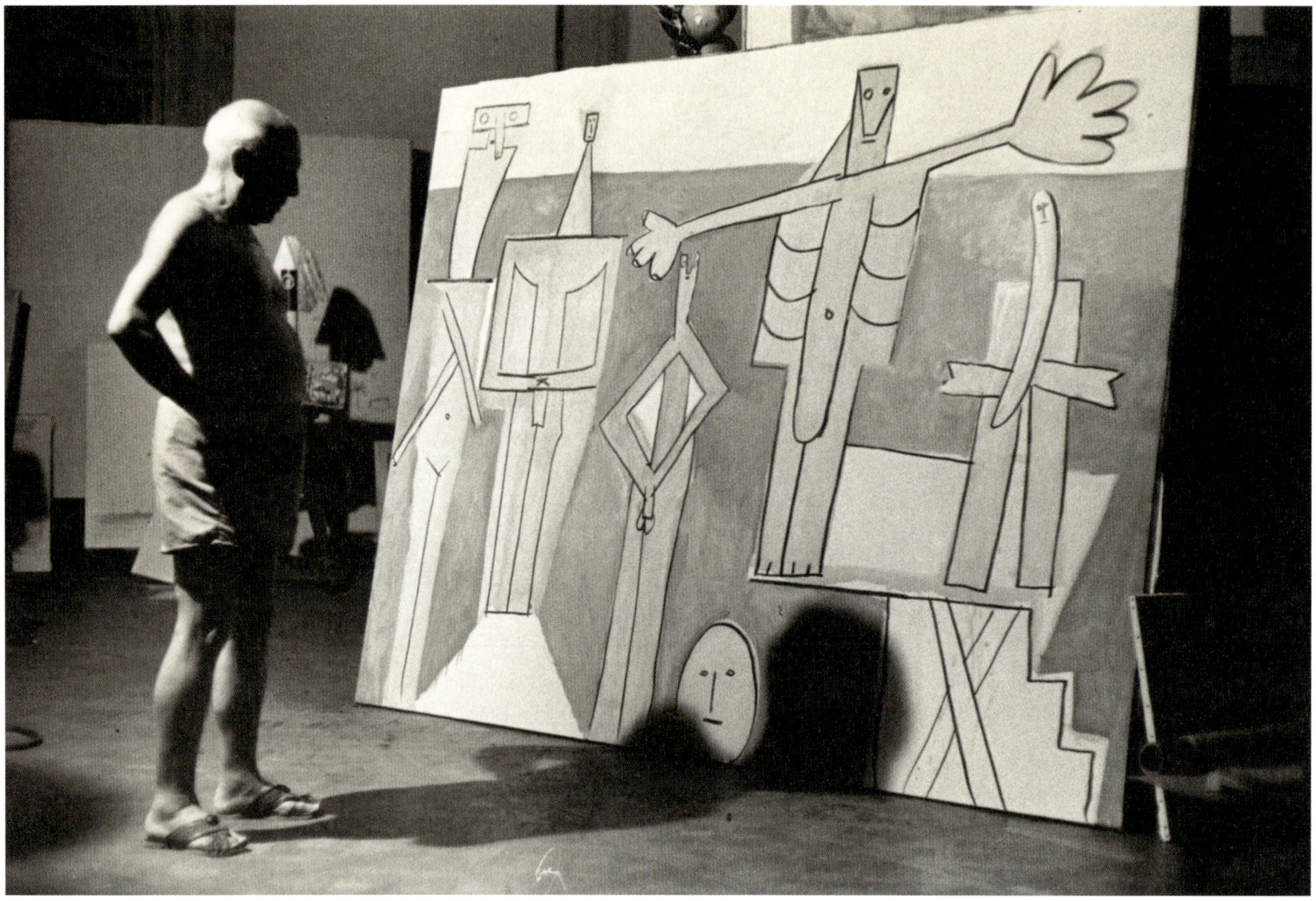

Abb. 19 | Pablo Picasso mit dem Gemälde *Badende am Strand von La Garoupe*, 1957

Café-Terrassen gab es nur noch Uniformen. Als junger Mann in Zivilkleidung war man nicht unbedingt gut angesehen.

Die Beziehung zwischen den beiden Männern war vielschichtig und unbestreitbar von gegenseitigem Respekt geprägt. Modigliani war, wie sein Freund Anselmo Bucci bezeugt, der Meinung, in Frankreich gäbe es außer Matisse und Picasso nichts Gutes.[119] Seitens eines Künstlers, den sein ästhetischer und intellektueller Anspruch zu heftigen Wutausbrüchen trieb – er zerstörte mehrere Werke von Maurice Drouard und Gaston Coustillier –, ist das ein ausgesprochenes Kompliment. Was Picasso betrifft, so steht fest, dass Modigliani zu verschiedenen Momenten seines Lebens malerischen Einfluss auf ihn ausübte; es ist bekannt, dass ihn mehrere Werke Modiglianis derart verstörten, dass er manchmal sogar für einige Monate nicht mehr malen konnte. In künstlerischer Hinsicht war die Beziehung noch komplexer: Wenn Modigliani ein Bild malte, das ihm zu vereinfacht, zu geometrisch und zu strukturell geriet, rief er aus: »Schon wieder ein Picasso!«[120] 1918 vollzog Picasso eine große malerische Wende und begann, mehrere sehr klassische Bilder zu malen, Porträts, mit immer gleichem Sujet, während sich Modigliani zur selben Zeit mit seinen Porträts bereits einen Namen gemacht hatte. Das Porträt von *Olga im Lehnstuhl* (Abb. 17) und das Porträt *Madame Rosenberg und ihre Tochter* (Abb. 18), eine Art Heilige Jungfrau mit Kind in einem Lehnstuhl im Stil Henri II., beide aus dem Jahr 1918, sind beachtenswert im Werk des Künstlers und in ihrer Komposition den Gemälden Modiglianis sehr ähnlich. Nach dem Krieg heiratete Picasso Olga und kehrte seinem Leben als Bohemien den Rücken, die Einflüsse des Primitivismus verschwanden vollständig in seinen Werken. Modiglianis Gemälde hingegen bewahrten zu dieser Zeit und bis zu seinem Tod im Jahr 1920 die Merkmale des Primitivismus: die Vereinfachung, der immer gleiche Bildaufbau. Die Karyatide hatte sich zu einer nuancierteren Gestaltung des Körpers gewandelt, aber die Formen blieben dieselben. Seine großen Akte sind neue Karyatiden, die Hälse sind noch länger geworden, behielten dafür aber, ganz so wie die Nasen und Gesichter, das Maskenhafte, in dem man die Persönlichkeit des Dargestellten erfassen kann. Wenn er sich auch in einigen Porträts bemüßigt fühlte, den Namen des Dargestellten anzugeben oder sie mit in seinen Augen bedeutungsschweren Worten wie »Wissen« beschriftete, so setzte sich in seinen Gemälden ebenso wie zuvor bei seinen Skulpturen das Charakteristikum »primitiver« Objekte fort: Sie dokumentieren die Sitten und die Kultur seiner Zeit, ohne dass es eines Wortes oder einer Erklärung bedarf.

1957 schuf Picasso ein äußerst überraschendes Gemälde, *Badende am Strand von La Garoupe* (Abb. 21), ein großformatiges Werk, das als eine Hommage an die primitivistischen Maler von Cézanne bis Derain gesehen werden kann. Die Figuren sind wieder auf das Wesentliche reduziert, fast totemisch, so als wollten sie an Kahnweilers Worte anknüpfen, der behauptete, Afrika sei Picasso nie aus dem Kopf gegangen.[121] Doch vielleicht ist es auch Modigliani gewesen, der ihm nie aus dem Kopf gegangen ist.

1 So antwortete Paul Alexandre 1951 einem unbekannten Adressaten: »Ich habe Ihnen meine Zustimmung verweigert, da ich das Buch, das Sie veröffentlichen wollen, nicht kenne. Die Reproduktionsrechte für die Bilder in meinem Besitz möchte ich einem Werk vorbehalten, das ein wirklichkeitsgetreueres Bild von Modigliani vermittelt, ein Bild, das sehr anders ausfallen sollte als jene Vorstellung, die man sich nach den bisherigen Veröffentlichungen in Frankreich und im Ausland machen kann«, in: Noël Alexandre, *Der unbekannte Modigliani*, Köln 1994, S. 16.

2 Ebd., S. 21

3 Lunia Czechowska, verheiratet mit einem Jugendfreund von Leopold Zborowski, war eine treue Freundin des Malers, aber vor allem eines seiner Lieblingsmodelle, wie die zahlreichen von Modigliani ausgeführten Porträts von ihr belegen.

4 In seinem ersten Modigliani gewidmeten Buch publiziert Ceroni auch die Erinnerungen von Lunia Czechowska; dies., »Les Souvenirs de Lunia Czechowska«, in: Ambrogio Ceroni, *Amedeo Modigliani, peintre*, Mailand 1958, S. 19–34, S. 20–21.

5 Wiedergegeben in Alexandre 1994, S. 28–35.

6 Ebd., S. 28.

7 Ebd.

8 Ebd.

9 Ebd., S. 28 f.

10 Ebd., S. 28.

11 Ebd., S. 29.

12 Ebd.

13 Ebd.

14 Ebd.

15 ». . ., auch wollte sie ihn unter ihre Fittiche nehmen, um seinen Lebenswandel bis in die kleinsten Einzelheiten zu überwachen, was kein leichtes Unterfangen war«, Alexandre 1994, S. 30.

16 Modigliani wusste genau, was er seiner Mutter zu verdanken hatte; er hing sehr an ihr und trug stets ihre Fotografie bei sich. Vgl. Alexandre 1994, S. 62.

17 Ebd., S. 31.

18 Von Ceroni veröffentlichter Brief Nr. 5, in: Ceroni 1958, S. 17 f.

19 Alexandre 1994, S. 31.

20 Ebd.

21 Ebd., S. 13.

22 Ebd., S. 15.

23 Ebd., S. 62.

24 Ebd., S. 59.

25 Ceroni 1958, S. 24.

26 Alexandre 1994, S. 65.

27 Ceroni 1958, S. 21 f.

28 Ceroni 1958, S. 28.

29 Alexandre 1994, S. 60.

30 Ebd., S. 59.

31 Ebd., S. 89.

32 Lunia Czechowska in: Ceroni 1958, S. 30.

33 Jacques Chapiro, *La Ruche*, Paris 1960, S. 168.

34 Alexandre 1994, S. 29.

35 Seine Mutter berichtet in ihren biografischen Anmerkungen, dass er einen Kopf zerstörte, den er für sie gemacht hatte, weil er der Ansicht war, diese Phase in seiner künstlerischen Entwicklung bereits hinter sich gelassen zu haben.

36 »La Vita è un Dono: dei pochi ai molti: di Coloro che Sanno et que hanno a Coloro che non Sanno et che non hanno«, siehe Alexandre 1994, S. 89.

37 Modigliani, wir erinnern uns, kannte das Werk Dantes ganz genau.

38 Alexandre 1994, S. 109.

39 Obwohl in den biografischen Anmerkungen seiner Mutter nicht erwähnt, scheint Modigliani von seinen Erfahrungen mit dem Spiritismus geprägt gewesen zu sein, wie zwei großartige Aquarelle belegen, die er später ausführte. Das erste zeigt eine Frau bei einer Séance, das zweite einen Mann, der seine Hände auf einen sich drehenden Tisch legt.

40 Amedeo Modigliani, Brief an Oscar Ghiglia, o. D., in: Ceroni 1958, S. 16, [3].

41 Chapiro 1960, S. 168.

42 Brief aus Rom, in: Ceroni 1958, S. 17.

43 Alexandre 1994, S. 73. Der ganze Text in: Ceroni 1958, S. 17, [4].

44 So spricht er von »Capri, dessen Name allein genügt, um in meinem Kopf einen Tumult an Bildern von antiker Schönheit und Üppigkeit zu wecken, erscheint mir nun als ein dem Wesen nach frühlingshafter Ort. In der klassischen Schönheit der Landschaft liegt – für mich – eine allgegenwärtige und unbestimmte Sinnlichkeit. Und (trotz der alles bevölkernden Engländer mit ihrem Baedeker) eine strahlende und giftige Blüte, die aus dem Meer aufsteigt.« Zu Venedig: »das Haupt der Medusa mit unzähligen azurblauen Schlangen, ein riesiges glasiges Auge, in dem sich die Seele verliert und ins Unendliche erhebt«, in: Ceroni 1958, S. 16 und 18.

45 Paul Rivet, »George-Henri Rivière. ›La Réorganisation du Musée d'Ethnographie du Trocadéro‹«, in: *Bulletin du Musée national de l'histoire naturelle*, 2, 1930, S. 478.

46 Anne Loyau, »Le Musée d'Ethnographie du Trocadéro et ses transformations, 1878–1935: configurations, espaces muséaux et réseaux«, in: *La France savante*, Paris 2017, S. 239.

47 In dieser Reihenfolge: Raymond Lecuyer, »Un vernissage au Musée d'ethnographie du Trocadéro. Bronzes et ivoires du Bénin«, in: *Le Figaro*, 16. Juni 1932; Paul Fierens, »L'Art du Bénin«, in: *Journal des débats politiques et littéraires*, 26. Juli 1932; Georges-Henri Rivière, »Défense et illustration du Musée d'ethnographie«, in: *Les Nouvelles littéraires*, 8. August 1931.

48 André Malraux, *Das Haupt aus Obsidian – Über Picasso und die Macht der Kunst*, aus dem Französischen von Ulrich Friedrich Müller, Frankfurt am Main 1975, S. 17–19.

49 Françoise Gilot und Carlton Lake, *Leben mit Picasso*, aus dem Amerikanischen von Anne-Ruth Strauß, Zürich 1981, S. 221.

50 Alexandre 1994, S. 67.

51 Das Musée Indochinois du Trocadéro brauchte sich seiner Museografie übrigens nicht zu schämen. Sie übertraf sogar fast die seines Nachbarn, des 1879 von Eugène Viollet-le-Duc im gegenüberliegenden Flügel des Palais gegründeten Museums für vergleichende Bildhauerei, heute Cité de l'Architecture et du Patrimoine. Das Musée Indochinois mit seinen sehr großen Abgüssen konkurrierte damals auch mit dem South Kensington Museum, dem späteren Victoria & Albert Museum, wo ebenso imposante Abgüsse ausgestellt waren, wie die Nachbildung des Osttores der Sanchi-Stupa in Indien.

52 Michael Falser, »From Daillon to Sanchi, from Vézelay to Angkor Wat. The Musée Indo-Chinois in Paris: A Transcultural Perspective on Architectural Museums«, in: *Journal of the International Association of Research Institutes in the History of Art*, 2, April – Juni, 2013, S. 40.

53 Loyau 2017, S. 238.

54 Falser 2013, S. 1.

55 Alice Conklin, *Race, ethnologie et empire en France (1850–1950)*, Paris 2015.

56 Deutsch zit. nach *Translocation. Eine Anthologie*, online: https://translanth.hypotheses.org/ueber/derain [Abruf 7.5.2021].

57 Dominique Poulot, *Une histoire du patrimoine en Occident, XVIIIe–XIXe siècle*, Paris 2006, S. 150–151.

58 Fabrice Grognet, »Les Enjeux muséologiques de la réorganisation du Musée d'ethnographie du Trocadéro«, in: Andre Delpuech u. a. (Hg.), *Les Années folles de l'ethnographie: Trocadéro 28–37*, Paris 2017, S. 78.

59 Conklin 2015.

60 Philippe Dagen, *Primitivismes. Une invention moderne*, Paris 2019, S. 55 und 61.

61 Grognet 2017, S. 78.

62 Loyau 2017, S. 236.

63 Zum Beispiel die Ausstellung im Musée du Quai Branly *Peintures du lointain / Gemälde aus der Ferne*, 20. Januar 2018 bis 3. Februar 2019.

64 *Modigliani et le primitivisme*, hg. von Marc Restellini (Ausst.-Kat. The National Art Center Tokio), Tokio 2008.

65 Marie Mauzé, »Regards sur le Primitivisme. À propos de William Rubin«, in: William Rubin (Hg.), *»Primitivism« in 20th Century Art. Affinity of the Tribal and the Modern*, New York 1984 sowie in: *Gradhiva: revue d'histoire et d'archives de l'anthropologie* 2, 1987, S. 59–61.

66 William S. Rubin, *Primitivismus in der Kunst des 20. Jahrhunderts*, München 1984.

67 Carlo Severi, *Objekte als Person: Eine Anthropologie des Zusammenspiels von Sehen und Glauben*, aus dem Französischen von Markus Sedlaczek, Konstanz 2019, S. 46.

68 Ebd.

69 Ebd.

70 Vgl. Carl Einstein, *Negerplastik*, Leipzig 1915.

71 Carlo Severi, »L'Empathie primitiviste«, in: *Images re-vues*, Sonderausgabe 1, 2008.

72 Einstein 1915, S. 26.

73 Severi 2019, S. 48.

74 Ausst.-Kat. Tokio 2008.

75 James Clifford, *The Predicament of Culture: Twentieth Century Ethnography, Literature and Art*, Harvard 1988, S. 155.

76 Dagen 2019, S. 10

77 Mauzé 1987, S. 59–61.

78 Rubin 1984, S. 5.

79 Clifford 1988, S. 152–153.

80 Thomas McEvilley, *Doktor, Anwalt, Indianerhäuptling »Primitivismus in der Kunst des 20. Jahrhunderts« im Museum of Modern Art*, New York 1984, online: vgl. https://www.kunstforum.de/artikel/doktor-anwalt-indianerhauptling/.

81 Jean Clair, *Considérations sur l'état des Beaux-Arts*, Paris 1983.

82 Mauzé 1987, S. 59–61.

83 Severi 2019, S. 55.

84 *Modigliani: L'ange au visage grave*, hg. von Marc Restellini (Ausst.-Kat. Musée du Luxembourg Paris), Paris 2002, S. 23.

85 Clifford 1988, S. 152.

86 Ebd., S. 156.

87 Dagen 2019, S. 329.

88 Matisse, Brancusi, aber auch Derain, Jean-Paul Laurens, Braque und Giorgio de Chirico.

89 Picasso versicherte gegenüber Zervos, zu jener Zeit, als er die *Demoiselles d'Avignon* malte, sei ihm die schwarzafrikanische Kunst nicht bekannt gewesen, zit. nach Josep Palau i Fabre, *Picasso – der Kubismus 1907–1917*, aus dem Spanischen von Wolfgang J. Wegscheider, Köln 1998, S. 43. Diese Behauptung wird bestätigt von Paul Daix, *Dictionnaire Picasso*, Paris 1995, S. 52.

90 Das Bild hat damals zu viel Aufsehen erregt, als dass es Modigliani hätte entgangen sein können. Und Paul Alexandre erwähnt Modiglianis regelmäßige Besuche in der Galerie Kahnweiler, Rue Vignon, wo er Picassos Werke studierte.

91 Neben den bereits erwähnten Braque, Derain und Picasso kann man noch das plastische Werk von Matisse anführen, vor allem *Zwei Negerinnen*.

92 Im Winter 1906 machte Picasso eine Zeichnung, die drei unbekleidete Frauen vor einem Bühnenvorhang zeigte. Siehe Josef Palau i Fabre, *Picasso – Von den Balletts zum Drama*, aus dem Spanischen von Wolfgang J. Wegscheider, Köln 1998, S. 480.

93 Alexandre 1994, S. 65.

94 Ebd., dies sind die Worte, die Paul Alexandre verwendete, um Modiglianis Streben zu beschreiben.

95 So schrieb es Modigliani im April 1913 auf eine Postkarte an Paul Alexandre, siehe Alexandre 1994, S. 104.

96 Josep Palau i Fabre, *Picasso – Kindheit und Jugend eines Genies*, München 1998, S. 469.

97 Malraux 1975, S. 18.

98 Alexandre 1994, S. 65–67.

99 Daix 1995, S. 656.

100 Ebd.

101 Palau i Fabre 1998 (Kindheit), S. 468.

102 Daix 1995, S. 439.

103 Ebd.

104 Alexandre 1994, S. 53.

105 Palau i Fabre 1998 (Kindheit), S. 468 f.

106 Ebd.

107 M. Dale, *Modigliani*, New York 1929, zit. nach Ambrogio Ceroni, *Das gemalte Werk von Modigliani*, Kunstkreis Luzern 1970, S 12.

108 Ebd.

109 So antwortete er auf Survages Frage, ob er Alkoholiker sei: »Nein, ich kann trinken, wenn ich das zum Arbeiten brauche, und aufhören, wann ich will«, zit. nach Chapiro 1960, S. 167.

110 Ebd., S. 166.

111 Ebd., S. 168.

112 Zitiert nach Christoph Vitali (Hg.), *Modigliani, ein Mythos der Moderne*, Köln 2009, S. 122.

113 Brancusi schuf die erste *Colonne sans fin* im Jahr 1918. Sie gilt als eines seiner Meisterwerke, das, mit Pontus Hulten gesprochen, weiter geht als alle anderen und einen Beitrag zum spirituellen Wissen unseres Jahrhunderts bildet.

114 Chapiro 1960, S. 166.

115 Ebd.

116 Die beiden Männer sollten sich nicht wiedersehen.

117 Alexandre 1994,S. 31.

118 Spanien war neutral und nicht am Ersten Weltkrieg beteiligt.

119 Pierre Daix, »Picasso et Modigliani«, in: Ausst.-Kat. Paris 2002, S. 65.

120 Ebd., S. 66.

121 Dagen 2019, S. 140.

MODIGLIANI – PICASSO:

zwei Spielarten des Primitivismus

Juliette Pozzo

Die künstlerische und persönliche Beziehung zwischen Picasso und Modigliani im ersten Viertel des 20. Jahrhunderts ist in vielerlei Hinsicht bemerkenswert. Im Gegensatz zur gleichzeitigen »Seilschaft« Picassos mit George Braques[1] oder zur Geistesverwandtschaft, die Picasso mit Guillaume Apollinaire verband, wurde Picassos Freundschaft mit Modigliani bislang kaum Beachtung geschenkt. Auch wenn diese weniger offenkundig zu sein scheint als manch andere der für die Geschichte der Avantgarde emblematischen Künstlerfreundschaften, verdeutlicht eine Gegenüberstellung ihrer Werke die geistige Nähe zueinander und lässt ein geteiltes Interesse an der Verwendung sogenannter primitiver Formen erkennen. Auch wenn es sich keineswegs um eine exklusive Beziehung handelte, sind sie ein Stück des Weges gemeinsam gegangen – mit weitreichenden Folgen.

Zwei unvereinbare Legenden?

Die Legende, die sich um Modigliani gebildet hat und die gemeinsam mit jener der École de Paris und dem Leben der Bohème entstanden ist, hat eher die vermeintliche Rivalität beider Künstler betont als ein mögliches Einvernehmen.[2] Richtig ist, dass die ihre Begegnungen betreffenden Quellen dürftig sind. Pierre Daix kam am Ende einer gründlichen Untersuchung auf die nur durch wenige Zeugnisse belegte, unbekannte und dafür umso mehr von Legenden umrankte Seite ihrer Beziehung zu sprechen.[3] Beim Versuch, das populäre Image, das man allzu früh mit ihrem Vater verbunden hatte, zu hinterfragen, stellte Jeanne Modigliani fest: »Indem sie die verschiedenen Zeugnisse nach ihrem Geschmack benutzten und entsprechend einsetzten, schufen Blaise Cendrars, André Salmon und Francis Carco eine aufbrausende oder verführerische Persönlichkeit, die aber wahrscheinlich ebenso weit vom wahren Amedeo Modigliani entfernt war wie Don Juan von Miguel Manara.«[4] Picasso wiederum lebte zu lange, als dass ihm seine eigene Legendenbildung in diesem Punkt hätte entgleiten können, konnte aber dennoch einige Gerüchte und »Skandale« nicht verhindern. Durch diese eigenständigen Legendenbildungen wurden Modigliani und Picasso rasch in verschiedene Schubladen gesteckt, nicht zuletzt wegen ihrer unterschiedlichen Persönlichkeiten, die eigentlich unvereinbar schienen. Der verfemte und eigenbrötlerische Künstler, für den man Modigliani hielt, durfte sich einfach nicht mit der extrovertierten und stolzen Persönlichkeit Picassos verstehen. Chronisten wie Francis Carco behaupteten sogar, beide hätten einander nicht gemocht und seien der Kunst des anderen gegenüber höchst reserviert gewesen:

»›Ist dir aufgefallen‹, sagte Picasso lachend, der Modigliani wegen seiner prahlerischen Art nicht mochte, ›dass man ihn nur dort besoffen antrifft, wo er einen Skandal verursachen kann?‹ … Dass Utrillo oder Modigliani zumeist betrunken waren, machte ihm an sich nichts aus, doch behauptete er, sie würden ihre Trunkenheit benutzen, um sich seiner Kontrolle zu entziehen. Tatsächlich maßen weder ›Monsieur Maurice‹ (Utrillo) mit seinen unzähligen Pechsträhnen noch Modi dem Kubismus irgendeine Bedeutung bei. Picasso hingegen war zu klug, um nicht zu bedauern, dass diese beiden sehr bedeutenden Maler an eine Tradition anknüpfen konnten, die es ihnen vor allem in Montmartre erlaubte, frei zu bleiben.«[5]

Diese große Rivalität, die in jüngerer Zeit von Mike Davis in seinem Film über Modigliani wieder aufgegriffen wurde (2004), verlieh der Erzählung der Avantgarden zur rechten Zeit eine gewisse Spannung und vereinfachte die historische und ästhetische Analyse der verschiedenen, zu Beginn des Jahrhunderts auflebenden Bewegungen.

Andere Chronisten wiederum sollten sich des Eindrucks erinnern, den die Werke der Blauen und Rosa Periode Picassos auf den Künstler aus Livorno machten. Bei einem Besuch um 1907 in Modiglianis Atelier sah Louis Latourette den Künstler entmutigt vor einem seiner Werke stehen und schilderte seine heftige Gemütsbewegung: »Das ist es nicht! Das ist noch Picasso, aber ein misslungener. Picasso würde diese Ungeheuerlichkeit mit Füßen treten.«[6] Wohl aus einem Pflichtgefühl heraus, dieses seltene Zeugnis der Bewunderung zu rechtfertigen, fügte Latourette hinzu: »Ich lege beiläufig auf die Anmerkung Wert, dass Picasso und der Zöllner Rousseau die einzigen sind, die ich Modigliani in den äußerst sporadischen Momenten, in denen er eine Meinung über seine Zeitgenossen äußerte, uneingeschränkt loben gehört habe.«[7] Fernande Olivier ihrerseits sollte anders als der Schriftsteller Francis Carco von einer aufrichtigen Freundschaft der beiden Künstler sprechen: »In Montmartre, wo ›Modi‹ vor seinem ›verdammten Leben‹ (›vie maudite‹) in Montparnasse wohnte, sahen wir ihn ziemlich häufig und mochten ihn im Gegenteil sehr.«[8] Olivier war bemüht, die Art dieser Verbindung genau zu beschreiben: »Picasso schien ihn zu schätzen und zu mögen, sofern Picasso überhaupt zur Freundschaft mit anderem als seinen Bildern imstande war. Wer hätte im Übrigen diesen charmanten, ebenso liebeswürdigen wie sanften Künstler nicht gernhaben sollen, der im Umgang mit anderen so großzügig war. Vielleicht hat mein Picasso damals am Montparnasse gesagt, dass ihm das Verhalten des damals schon verloren scheinenden Modi, der durch seine Ausschweifungen von sich reden machte, nicht gefiel? … Zweifelsohne haben weder Modi noch Maurice Utrillo dem Kubismus so wenig Bedeutung zugestanden wie Picasso ihren Werken. Andererseits war Picasso als Künstler zu intelligent, um den Wert dieser Werke zu bestreiten, auch wenn er ihnen keine große Bedeutung beimaß … Doch vielleicht entdeckte er in ihnen einen gewissen Reiz.«[9] Modigliani hingegen

Abb. 1 | Pablo Picasso, Seite aus den *Carnets de Royan*, Nr. 43, 1939/40
Bleistift auf kariertem Papier, 16,3 × 22,3 cm
Musée National Picasso-Paris

war ein relativ schwer zu klassifizierender Künstler und kein Anführer, wie ihn Picasso bei der Entstehung des Kubismus verkörperte. Der italienische Künstler wurde der École de Paris zugeordnet. Dies war ein von André Warnod erfundener Begriff, mit dem dieser eher auf die fremdenfeindliche Kritik an dieser aus ausländischen Künstlern bestehenden Gruppe reagierte, als dass er dem echten Bemühen um eine theoretische und ästhetische Definition entsprungen wäre.[10] Außerdem schien die räumliche Distanz zwischen dem ersten Atelier Picassos, das angeblich am Montmartre gelegen haben soll, und dem Modiglianis, dessen Laufbahn nach seiner Atelier-Niederlassung 1909 in der Cité Falguière eine Wende nahm, die These von ihrer der Vorstellungskraft ihrer Biografen entsprungenen Feindschaft zu bestätigen. Der »Prinz von Montparnasse« bezog sein Quartier am anderen Ende der Stadt, während der Hirte der »Picassobande« über Montmartre herrschte, als hätten diese beiden Orte der Kreativität zwangsläufig voneinander abweichende Werke hervorbringen müssen. Wenn Modigliani, der größtenteils isoliert war, eine gewisse sporadische Neigung zu seinen Zeitgenossen gehabt haben mochte, so ließ sich eine solche am ehesten zu Soutine, Zadkine oder Utrillo finden, aber ganz sicher galt sie nicht dem Kubismus von Picasso oder Braque.[11] Dabei hätte man aber seine häufigen Besuche und engen Beziehungen zu anderen Künstlern wie etwa Constantin Brancusi übersehen.

Zu dieser sicher auch auf den Mangel an authentischen Lebenszeugnissen Modiglianis zurückzuführenden Legendenbildung durch Louis Latourette kommt hinzu, dass beide Künstler vor allem zwischen 1910 und 1914 eine gegensätzliche Kunstauffassung besaßen.[12] Picasso nämlich bediente sich in seinen kubistischen Werken eines reflexiven Ansatzes, bei dem die Konzeption des Bildes im Vordergrund stand, während die »bricolage« (Bastelei) für ihn eine ontologische Vorgehensweise war. Modigliani, der stark von seinen Gefühlen geleitete Bewunderer Nietzsches, stützte sich hingegen vor allem auf ein sinnliches Bild der Welt. Gleichwohl verbirgt sich hinter diesen beiden widersprüchlichen Wahrnehmungsweisen in Wirklichkeit ein heimliches Einvernehmen im Hinblick auf ihre visuellen Vorstellungen.

Eine Begegnung im Zeichen des Primitivismus

Trotz der Unterschiede war die künstlerische Laufbahn Modiglianis mit derjenigen Picassos in vielerlei Hinsicht vergleichbar. Da war zunächst derselbe harte, aber fruchtbare Kampf, welchen die beiden Künstler ums Überleben und zur Verteidigung der künstlerischen Freiheit führten, der sie einander annäherte. Diese beiden gemeinsame Erfahrung der Pariser Moderne verstärkte ihre Vorliebe für alles, was sich von den bürgerlichen Kunstformen abhob. Außerdem ließen sowohl Picasso als auch Modigliani ihr mediterranes Heimatland zurück, über dessen kulturelle Ursprünge sie in der Folge Bilanz zogen, ohne sich völlig davon zu lösen. Dieser Ortswechsel half ihnen nicht nur dabei, sich von den akademischen Fesseln zu befreien, sondern machte sie außerdem wesentlich empfänglicher für außereuropäische Vorbilder, in denen sie eine gewisse Geistesverwandtschaft erkannten. Im Kontakt mit den sogenannten primitiven Artefakten entwickelten sie einen Blick, der zeitloser und sakraler Plastik besondere Aufmerksamkeit schenkte. Das bekannteste Zeugnis dieser gemeinsamen Sensibilität ist die vergleichbare Art beider, Gesichter mit »blinden«, ihrer Pupillen beraubten Augen zu schaffen. Das Motiv des geschlossenen Auges, das mit einer Entpersönlichung der Figur einhergeht, findet sich sowohl in den gemalten Vorstudien für die *Demoiselles d'Avignon* von Picasso als auch in zahlreichen ab 1916 ausgeführten Porträts Modiglianis. Dieses auf Cézanne zurückgehende Motiv des »blinden« Auges ist aber auch Ausdruck einer Annäherung an »primitive« Darstellungsformen. Wie andere Künstler ihrer Generation, beginnend mit André Derain, der 1906 im British Museum »Negerskulpturen« entdeckte, sahen auch Picasso und Modigliani in diesen traditionellen und originellen Formen eine Basis für eine Revolution des Blicks. Die gemeinsame Affinität erweckte bei beiden das Bedürfnis, sich intensiv mit diesen Objekten auseinanderzusetzen. Anna Achmatowa, die 1910 mit Modigliani befreundet war, berichtet diesbezüglich von zahlreichen Besuchen des Künstlers im Louvre und seiner intuitiven Reaktion auf die ägyptische Kunst:

> »Modigliani war betört von allem Ägyptischen. Oft nahm er mich in den Louvre mit, in den ägyptischen Flügel, und versicherte mir, alles andere, ›tout le reste‹, sei nicht der Rede wert. Meinen Kopf skizzierte er im Stil dekorativer Motive, die ägyptische Königinnen und Tänzerinnen darstellen. Er schien vollkommen begeistert von der Pracht der ägyptischen Kunst … Ägypten war der letzte große Schritt in seiner Entwicklung.«[13]

Picasso wiederum hatte 1907 den gleichen ästhetischen Schock angesichts außereuropäischer Skulpturen erfahren:

»Als ich mich vor vierzig Jahren für Negerkunst interessierte und die Bilder meiner ›époque nègre‹ (›afrikanischen Periode‹) malte, tat ich das, weil ich mich damals gegen das auflehnte, was man in den Museen als schön bezeichnete. Damals war für die meisten Leute eine Negermaske nichts weiter als ein ethnographisches Objekt. Dérain drängte mich, endlich einmal ins Museum am Trocadéro zu gehen, und der Geruch von Dumpfheit und Fäulnis schnürte mir die Kehle zu. Es deprimierte mich so sehr, dass ich am liebsten schnell wieder hinausgegangen wäre. Aber ich blieb und sah mir alles an. Die Menschen schufen diese Masken und die anderen Gegenstände zu geheiligten Zwecken, zu magischen Zwecken, als eine Art Vermittler zwischen ihnen selbst und den unbekannten bösen Mächten, die sie umgaben, um ihre Furcht und ihren Schrecken zu überwinden, indem sie ihnen Form und Gestalt verliehen. In diesem Augenblick erkannte ich, daß dies und nichts anderes der Sinn der Malerei ist. Malerei ist kein ästhetisches Unterfangen, sie ist eine Form der Magie, dazu bestimmt, Mittler zwischen jener fremden, feindlichen Welt und uns zu sein. Sie ist ein Weg, die Macht an uns zu reißen, indem wir unseren Schrecken wie auch unseren Sehnsüchten Gestalt geben. Als ich zu dieser Erkenntnis kam, wußte ich, daß ich meinen Weg gefunden hatte.«[14]

Beide studierten auf autodidaktische Weise archaische Formen und schufen ohne gegenseitige Absprache die Grundlage für Darstellungen, die imstande waren, die westliche Bildtradition radikal infrage zu stellen.

Abb. 2 | Detail des Tympanons in der Vorhalle der Basilika Sainte-Marie Madeleine, Vézelay, 12. Jahrhundert, Fotografie aus dem Privatbesitz Pablo Picassos
Musée National Picasso-Paris. Schenkung Succession Picasso

Die Fabrik der Idole

Der stärkste Gleichklang zwischen den Werken der beiden Künstler zeigt sich zwischen der protokubistischen Periode Picassos im Zusammenhang mit den *Demoiselles d'Avignon* und Modiglianis von 1909 bis 1915 geschaffenen Köpfen und Karyatiden. Ob Modigliani die *Demoiselles d'Avignon* zwischen ihrem Entstehungsdatum im Sommer 1907 und 1916, dem Jahr ihrer ersten Präsentation im Salon d'Antin, gesehen hat, ist nicht belegbar. Auch wenn Picasso nach Vollendung des Werks bald neue Wege geht, setzt er auch danach seine Arbeit an der Neuerfindung der menschlichen Figur fort. Modigliani, der eine Zeit lang in einem Atelier in der Nähe des Bateau-Lavoir arbeitete, hätte also andere Werke als die *Demoiselles* wie etwa *Liegender Akt mit Figuren* (Kat. 63) und die beiden sehr schönen *Frauenköpfe* (Kat. 113, 116) sehen können. Außerdem hätte er dort auch den beiden ozeanischen Skulpturen begegnen können, die der spanische Künstler 1908 erwarb[15] und deren schematisch verkürzte Darstellung der Augen und der bogenförmigen Brauen auch charakteristische Merkmale der Köpfe sind, die Modigliani ab 1909/10 schuf (Kat. 77, 78, 80). Darüber hinaus hat man in den Vorstudien viele weitere gemeinsame Einflüsse festgestellt, die belegen, wie wichtig der Primitivismus im Werk dieser beiden Künstler war.[16] Sie alle unterstreichen die Bedeutung der Kunst der Kykladen, Ägyptens, Assyriens, der Khmer, Afrikas und Ozeaniens. Frappierend an diesen zahlreichen Analogien ist das gewaltige Spektrum der Kulturen, auf die sich die Künstler bezogen und dabei in ihrer Suche nach neuen Formen mit jeglicher Hierarchisierung zwischen den Künsten brachen: »Man hat noch nichts Besseres hervorgebracht als die Skulptur der Primitiven ... Die assyrischen Reliefs haben noch diese Reinheit des Ausdrucks ...«, betonte Picasso.[17] Dieses gemeinsame visuelle Repertoire tritt bei der Gegenüberstellung ihrer Werke zutage, und die sich daraus ergebenden Folgen für ihre Kunst sind das Ergebnis ihres parallel beschrittenen Wegs hin zur selben schrittweisen Archaisierung der menschlichen Gestalt. Im Zentrum dieser Ausarbeitung eines neuen Stils spielte die Skulptur bei Modigliani wie bei Picasso eine wichtige Rolle und war ein wichtiges Medium bei der Entwicklung. Der Bericht Maud Dales im Vorwort des Katalogs der Ausstellung von 1933 in Brüssel unterstreicht das: »Als die Kunst Afrikas [›art nègre‹] beginnt, ihren Einfluss auf die Gruppe von Montmartre auszuüben, ist Modigliani noch Bildhauer. Die Steinköpfe und die zahlreichen, hinterlassenen Zeichnungen von Karyatiden zeigen, wie gut er die plastische Kraft der Skulptur begriff.«

Picasso machte die Erfahrung einer Rückkehr zu den Ursprüngen der Kunst bei seiner Reise nach Gósol im Sommer 1906, wo er sich intensiv mit der Holzskulptur befasste. In diesem von der Moderne verschonten, am Rand Kataloniens gelegenen Dorf schuf er drei Figuren, darunter die *Büste von Fernande* (Kat. 10). Picasso war stark inspiriert von der iberischen Skulptur, die er im Louvre kurze Zeit vor seiner Abreise hatte sehen können. Die *Büste von Fernande* zeugt von einem radikalen Wandel des Formenvokabulars und deutet darauf hin, dass der Prozess der Archaisierung damals bereits eingesetzt hatte. Gemeinsam ist diesen »Hölzern aus Gósol«, von deren Existenz man

Abb. 3 | Pablo Picasso, *Frau mit Artischocke*, 1941
Öl auf Leinwand, 195 × 130 cm
Museum Ludwig, Köln

erst nach Picassos Tod erfuhr, die grobe Behandlung der Oberfläche, die nur teilweise poliert ist, und die Verwendung von Einkerbungen statt des Hochreliefs zur Gestaltung der Figuren. Aufgrund der Vorgaben der Technik und des Werkstoffs weisen die Linien eine beispiellose Starrheit im Werk des Künstlers auf. Modigliani, der diesbezüglich keine Vorbildung besaß, experimentierte zwischen 1909 und 1915 ebenfalls mit der Skulptur und stand dabei mit Brancusi in Verbindung. Er hegte denselben Wunsch nach der Rückkehr zu ursprünglichen künstlerischen Techniken wie Picasso und das unmittelbare Schneiden in den Stein spielte dabei bei der Hervorbringung »primitiver« Formen eine ähnliche Rolle. Die ab 1909 von Modigliani gefertigten Köpfe haben nichts mehr mit den gemalten Figuren der vorausgegangenen Jahre zu tun. Modigliani brachte hier imposante Blöcke massiver und hieratischer Köpfe hervor. Die Reinheit der geometrischen Formen und die durch das Polieren des Steins betonte haptische Dimension der Skulptur verleihen dieser etwas Sakrales. Indem sie sich die spezifischen Eigenschaften der Holz- oder Steinskulptur zunutze machten, gelang es diesen beiden Künstlern, besonders statisch und monumental anmutende menschliche Gestalten mit einem starken Beschwörungscharakter zu schaffen.

Begünstigt durch eine gemeinsame Sensibilität profitierte das Auftauchen primitiver Formen im Schaffen der beiden Künstler auch von einem die Verschmelzung der Künste fördernden Kontext. Obwohl sie in der zweiten Hälfte des 19. Jahrhunderts bereits nach Europa gelangt waren, erhielten die außereuropäischen Objekte erst in den 1910er-Jahren, also gleichzeitig mit ihrer Entdeckung durch Picasso und Modigliani, wirklich den Status von Kunstwerken. Die Zirkulation von Stammeskunst nahm damals eine neue Wendung und es entstand ein Netzwerk spezialisierter Galerien. Yaëlle Biro hat gezeigt,[18] welche Rolle bestimmte Händler wie Joseph Brummer oder Paul Guillaume bei der Entstehung einer neuen Sichtweise auf diese Objekte und Vorbilder wie etwa ein Reliquienkopf der Fang, auch »tête Brummer« (Brummer-Kopf) bezeichnet (Kat. 89), spielten.[19] In diesem Kontext muss man die Ausstellung *Lyre et Palette* von 1916 betrachten, an der Picasso und Modigliani während des Ersten Weltkriegs teilnahmen.

Die Ausstellung Lyre et Palette von 1916

Am 19. November 1916 eröffnete am Montparnasse die von dem Verein Lyre et Palette organisierte gleichnamige Ausstellung im Atelier des Schweizer Malers Émile Lejeune in der Rue Huyghens 8. Der 1915 gegründete Verein wollte zur Begegnung mit der Kunst anregen und das künstlerische Schaffen fördern, da beides durch den Ausbruch des Ersten Weltkriegs erheblich eingeschränkt worden war. Diese erste Ausstellung vereinte einen großen Teil der »Montparnos« – wie man sie nannte –, die Jean Cocteau einige Monate zuvor vor dem populären Restaurant La Rotonde fotografiert hatte: Picasso, Modigliani, Manuel Ortiz de Zárate, Moïse Kisling, Jean Cocteau und Max Jacob nahmen ebenso an der Veranstaltung teil wie Henri Matisse, Erik Satie und Blaise Cendrars. Zum ersten Mal wurden hier in Frankreich auf Initiative von Künstlern Werke europäischer, afrikanischer und ozeanischer Kunst in der Absicht zusammen ausgestellt, eine neue Ästhetik zu begründen. Dabei wurden den außereuropäischen Objekten derselbe Rang eingeräumt wie der zeitgenössischen Kunst und sie wurden auch in fast demselben zahlenmäßigen Verhältnis präsentiert.[20] »Die Kunst Afrikas (›art nègre‹) ist genauso schön wie die Kunst des Phidias. Durch die Nachahmung der Meisterwerke der Papua wird gerade die europäische Ästhetik erneuert«, hieß es im Ausstellungskatalog. Paul Guillaume stellte bei dieser Gelegenheit fünfundzwanzig afrikanische Skulpturen als Leihgaben zur Verfügung.[21]

Diese für die gemeinsame Geschichte des Primitivismus und der Avantgarden grundlegende Ausstellung fiel in dasselbe Jahr wie die Präsentation der *Demoiselles d'Avignon* für das breite Publikum im Salon d'Antin, der im Sommer 1916 eröffnet wurde. Wie Émile Lejeune in seinen Erinnerungen berichtet, spielte diese Ausstellung auch eine wichtige Rolle in der Karriere Modiglianis: »Letzten Endes führte diese Eröffnungsausstellung nicht nur dazu, dass Paris die afrikanischen Fetische und Idole zum ersten Mal unter rein künstlerischen Gesichtspunkten zu sehen bekam, sondern auch dazu, dass Modigliani, wenn auch leider nur für sehr kurze Zeit, seine Mittellosigkeit hinter sich ließ und vor allem auch bekannt wurde . . .«[22] Als der mit fünfzehn im Katalog aufgeführten Werken am besten in der Ausstellung vertretene Künstler wurde er bei dieser Gelegenheit von Leopold Zborowski entdeckt, der in der Folge sein wichtigster Händler werden sollte.[23] Picasso wiederum

Abb. 4 | Pablo Picasso, *Der Schaukelstuhl*, 1943
Öl auf Leinwand, 161 × 130 cm
Musée National d'Art Moderne, Centre Pompidou, Paris

Abb. 5 | Pablo Picasso, *Dora Maar*, 1937
Öl auf Leinwand, 92 × 65 cm
Musée National Picasso-Paris

Abb. 6 | Pablo Picasso
Sitzende Frau mit erhobenen Armen, 1940
Bemalte Kartonstücke, auf Karton aufgenäht, 17 × 13,9 cm
Musée National Picasso-Paris

präsentierte lediglich zwei Werke in dieser Ausstellung, eine »Gitarre« und eine »Violine«, die wahrscheinlich aus seiner rezenten Schaffensperiode großer kubistischer Bilder hervorgegangen waren.[24] Der relativ bescheidene Umfang der Ausstellung verschleierte die grundlegende Bedeutung, welche diese für die Geschichte der Avantgarden und ihrer Verbindungen mit dem Primitivismus gehabt haben dürfte. Die Tatsache, dass Modigliani und Picasso zu den wenigen Teilnehmern zählten, unterstreicht ihr gemeinsames Engagement für diesen ästhetischen Aufbruch, der sich der Einbeziehung eines außereuropäischen Formenvokabulars verdankte.

Außer diesem wechselseitigen Einsatz bei der Herausbildung einer neuen Sichtweise auf die außereuropäische Kunst und ihrem sogenannten primitiven Stil manifestiert sich im Werk eines jeden der beiden Künstler eine wirkliche Obsession vom weiblichen Modell. Die persönliche Sammlung Pablo Picassos, in der sich mindestens ein Werk Modiglianis befand, veranschaulicht, wie sehr das weibliche Porträt beiden Künstlern als Mittel einer radikalen bildnerischen Neuerfindung diente.

Modigliani in der Privatsammlung Picassos: der Einfluss des italienischen Primitivismus

Der plötzliche Tod Modiglianis im Jahr 1920 änderte nichts an Picassos Interesse für sein Œuvre. Die Umstände, unter denen letzterer *Das schwarze Haar* (Kat. 52) erwarb, das auch unter dem Titel *Sitzendes brünettes Mädchen* bekannt ist, liegen nach wir vor im Dunklen.[25] Alles deutet darauf hin, dass Picasso es wahrscheinlich um das Jahr 1943 herum bei dem Kunsthändler Martin Fabiani erstand oder gegen eines seiner eigenen Werke tauschte. Françoise Gilot erinnert sich, es im Februar jenes Jahres im Atelier Picassos gesehen zu haben,[26] und eine Fotografie, die Robert Capa 1944 im Atelier in der Rue des Grands-Augustins machte, zeigt das im Hintergrund an einem Stapel lehnende Gemälde. Später wird Picasso *Das schwarze Haar* wie seine übrige Privatsammlung bei seinen diversen Wohnsitzwechseln mitnehmen. Es ist dieser »sich annähernde Blick des Künstlers«, den David Douglas Duncan 1959 im Château de Vauvenargues fotografieren wird (Abb. S. 208–209): Das noch verpackte, aber zum Auspacken bereite Gemälde Modiglianis steht neben dem *Stillleben mit Orangen* von Henri Matisse (1912, Musée National Picasso-Paris) und *Blick auf das Meer bei L'Estaque* von Paul Cézanne. Dennoch soll Picasso William Rubin zufolge dieses Werk weniger geschätzt haben als seine anderen Bilder von Cézanne oder Matisse.[27] Doch zeigt ein Vergleich mit den Werken, die Picasso zum Zeitpunkt seiner Erwerbung dieses *Sitzenden brünetten Mädchens* schuf, zahlreiche Ähnlichkeiten und eine gemeinsame Rückkehr zu den Ursprüngen der Kunst. Der Vergleich liefert einen neuerlichen Beweis dafür, dass Picasso mit seiner Privatsammlung in einen Dialog trat und welch visuelle Inspirationsquelle sie für ihn darstellte.

Das schwarze Haar, ein um 1918 entstandenes Spätwerk Modiglianis, zeigt eine frontal zum Betrachter sitzende Frau mit überlängtem Körper und ineinander ruhenden Händen vor einem hellen Bildgrund, wie sie für die letzten Jahre des Malers typisch sind.[28] Der hieratische Gesichtsausdruck ist

Abb. 7 | Verkündigung von Bernardo Daddi aus dem Pariser Louvre
Ansichtskarte aus dem Privatbesitz Pablo Picassos
Musée National Picasso-Paris. Schenkung Succession Picasso

Abb. 8 | Statue der thronenden Gottesmutter Maria
Fotografie aus dem Privatbesitz Pablo Picassos
Musée National Picasso-Paris. Schenkung Succession Picasso

Abb. 9 | Sitzende Gottesmutter Maria mit Kind
Weihnachtskarte von Joan Vidal i Ventosa an Pablo Picasso
von 1964 aus dem Privatbesitz Pablo Picassos
Musée National Picasso-Paris. Schenkung Succession Picasso

durch einen leichten Kontrapost und eine manieristische Überlängung des Halses gemildert. Der flirrende Pinselduktus, der den flachen Bildgrund belebt, lässt die frontal gegebene Figur nach dem Vorbild religiöser Ikonen scheinbar im Raum schweben. Als eine moderne Evokation des Motivs der sitzenden Jungfrau Maria verweist das *Sitzende brünette Mädchen* zweifelsohne auf die italienischen Wurzeln Modiglianis und kommt auch in anderen zur selben Zeit gemalten Bildern Modiglianis zum Vorschein, so etwa in *Elvira mit weißem Kragen* (Kat. 50) oder *Die junge Lolotte* (Kat. 55).

Dieses Wiederaufgreifen der primitiven *Maestà* durch Modigliani hat Picasso wahrscheinlich veranlasst, *Das schwarze Haar* genau in dem Moment zu erwerben, in dem er selbst obsessiv zum Motiv der sitzenden Frau zurückkehrt. Die Todesangst, die Entbehrungen, die Furcht, verhaftet zu werden, die Picasso seit der Bombardierung Guernicas 1937 belasteten, begünstigten damals eine mystische Beziehung zum Bild. Der Malakt wird zu einer Waffe, um gegen jedweden psychischen und moralischen Zusammenbruch anzukämpfen. So erklärt Picasso dem britischen Journalisten Johan Pudney, der ihn während des Krieges besucht: »Der kreative Künstler trägt in sich die Neigung, der Menschheit am Rande des Chaos Halt zu geben.«[29] Um dann an seinen Besucher zu appellieren: »Ganz sicher ist es für den kreativen Menschen keine Zeit zu scheitern, zusammenzuschrumpfen, mit dem Arbeiten aufzuhören. Denken Sie an die großen Dichter und Maler des Mittelalters.«[30] Dieser Vergleich zwischen den düsteren Stunden des Zweiten Weltkriegs und dem Mittelalter bringt die eschatologische Vorstellungswelt ans Licht, in die sich Picasso in dieser Zeit geflüchtet hat, geleitet von der Pflicht, trotz allem weiter schöpferisch tätig zu sein. Darüber hinaus lässt sich in diesem Kontext sicherlich nicht ausschließen, dass dieser eher für seinen Aberglauben als für seinen Glauben bekannte Künstler hier auch nach einer prophylaktischen, mit Bildern verknüpften Macht suchte.

Das Thema der sitzenden Frau findet sich bei Picasso seit den ersten, kurz nach 1890 ausgeführten Porträts seiner Mutter oder seiner Schwester. Obwohl er dieses Motiv in seinem Œuvre immer wieder aufgriff, kehrt es zwischen 1937 und 1945 beispiellos häufig wieder. Harriet und Sidney James haben diese bedeutende Werkgruppe der sitzenden Frauen als »die vitalsten Gemälde der Kriegsjahre« bezeichnet und so die unverzichtbare Rolle unterstrichen, die dieses Thema für den Künstler in dieser Zeit der Konflikte spielte.[31] Im Keim bereits in den 1937 entstandenen Porträts von Marie-Thérèse Walter und Dora Maar enthalten, wurde es in den seit dem Herbst 1939 entstandenen *Carnets de Royan* obsessiv (Abb. 1). Dutzende sitzender Frauen füllen die Seiten dieser Skizzenbücher und präsentieren Variationen über das Thema des nackten Körpers und des Gesichts. Diese drei versammelten Sujets – Körper, Köpfe und sitzende Frauen – lassen eine originelle Auseinandersetzung mit der bis ins Extreme getriebenen Verformung des Körpers erkennen. Wie Modigliani, der bei seinem *Sitzenden brünetten Mädchen* den Hals, den Körper und das Gesicht übertrieben in die Länge gezogen hat, nimmt Picasso hier an seinen Figuren vergleichbare, aber wesentlich abstoßendere Verzerrungen vor. Die bei Modigliani vorherrschende Zartheit fehlt den weiblichen Modellen Picassos, die allesamt von einer erheblichen Hässlichkeit gekennzeichnet sind und verzerrte, verdoppelte, hervortretende Köpfe aufweisen, welche im nächsten Augenblick zu bersten drohen.

In diesem Zyklus geht es Picasso um den Ausdruck des primitivsten Entsetzens. Die Abscheulichkeit, die ihm hier gelingt, lässt an die Gestalten der Verdammten auf den großen mittelalterlichen Tympana denken. Der Künstler kannte diese und sein Archiv zeigt, dass er einige Beispiele davon besaß (Abb. 2). Wie eine kreative Antriebsfeder führt diese archaische und instinktive Todesangst zu dem, was Umberto Eco als »Autonomie des Hässlichen«[32] bezeichnet hat, sprich zu einer charakteristischen, mit einem eigenen Kanon ausgestatteten Ästhetik der Hässlichkeit. Tatsächlich entfaltet Picasso ein dementsprechendes ikonografisches Repertoire, das es in dieser Fülle zuvor noch niemals gab. Die übertriebenen Torsionen der Gesichter gehen auf den Körper als Ganzes über, die von einem seltsamen Sog erfasst zu sein scheinen. Auf bestimmten Bildern sind die barocken Voluten der Arme und Beine der Sessel so beschaffen, dass sie die Gliedmaßen des Modells verlängern und auf diese Weise das Gefühl einer wilden Unordnung verstärken. Umgekehrt muten diese Folterstühle mitunter wie regelrechte Throne göttlicher Herrlichkeit an, so etwa in dem Bild *Frau mit Artischocke* (Abb. 3) und geben so diesen modernen *Maestae* all ihre Würde zurück. Die Kargheit des Sitzes, der teilweise wie bei Modigliani auf zwei im Hintergrund emporragende Stäbe reduziert ist, betont die Einfachheit, den Ernst und die Schwere des Modells. Zu Recht hat Steven A. Nasch die Analogie zwischen bestimmten sitzenden Frauen Picassos und den Papstporträts hervorgehoben und damit den Ausdruck derselben »terribilità« bestätigt.[33]

Als Vorboten der künstlerischen Produktion der Folgejahre machen die *Carnets de Royan* den Stuhl zum Träger einer permanenten körperlichen Anspannung. Als ein regelrechtes Architekturelement sperrt er die Körper in ein unsicheres, »wackeliges« Umfeld ein und hindert sie gleichzeitig daran, zu stürzen. In dieser wahrnehmbaren ständigen Instabilität, die sich ebenso in der *In einem Sessel sitzenden Frau* (1941–1942, Kunstmuseum Basel) wie in *Der Schaukelstuhl* (Abb. 4) findet, steckt etwas von der schwankenden Haltung, die bereits in *Das schwarze Haar* evoziert wurde. Die goldenen Bildgründe der byzantinischen Ikonen mit ihren vibrierenden Oberflächen finden ihre Entsprechung im fragmentierten Pinselduktus, dessen sich Modigliani in *Das schwarze Haar* bedient. Bei Picasso verstärkt eine vergleichbare Behandlung des Bildgrunds, dem jegliche Raumillusion entzogen (*Dame in Blau*, 1944, MNAM, Centre Pompidou) oder der auf eine mit tanzenden Linien gestreifte »Kiste« reduziert wurde (Abb. 5), so sehr das Gefühl der Bewegung, dass er bei der Wahrnehmung des Sujets ein gewisses Unbehagen hervorruft. Auch in bestimmten anderen Werken Picassos scheint deutlich das Vorbild der Ikone auf, etwa in den kleinen transportablen Formaten sitzender Frauen, die er 1940 auf alte ockerfarbene Zigarettenschachteln malte (Abb. 6). Doch wenn bei Modigliani in dieser Rückkehr zu den Prinzipien der Ikone die beruhigende Ausstrahlung der Madonnen mit Kind bestehen bleibt, zitiert Picasso vorrangig die primitive Schwere der *Maestae* und der katalanischen Madonnen. Eine Ansichtskarte von Bernardo Daddis *Verkündigung* (Abb. 7), die sich in Picassos Nachlass fand, oder auch verschiedene Darstellungen der thronenden Gottesmutter mit dem Kind von ergreifender Strenge zeugen von seinem Interesse an diesem Thema (Abb. 8, 9).[34]

Die Ankunft von *Das schwarze Haar* im Atelier Picassos mehr als zwanzig Jahre nach dem Tod Modiglianis und noch dazu in einer Zeit, in der beide als »entartete« Künstler diffamiert wurden, zeugt deutlich von einer unvergänglichen künstlerischen und emotionalen Kameradschaft.[35] Die Erwerbung dieses Gemäldes für seine persönliche Sammlung wirft auch ein entscheidendes Licht auf die zahlreichen sitzenden Frauen, die der spanische Künstler zu diesem Zeitpunkt malte. Picasso fand in der Gestalt weiblicher Intimität, wie sie der »Botticelli nègre« schuf, den genauen Gegenpol zu seinem eigenen Schaffen sowie dieselbe Rückkehr zu den Anfängen der Kunst.[36] Die Figur der *Maestà* und die liturgische Rolle der Ikonen dienten beiden Künstlern, denen das Studium der alten Meister so viel bedeutete, als Zufluchtsort. Dieser Dialog bezeugt einmal mehr die Nähe ihrer künstlerischen Vorgehensweisen und die ihnen gemeinsame Obsession an einer immer währenden Rückkehr zu den Anfängen der Kunst.

1 Der Begriff »Seilschaft« wurde von Georges Braque geprägt und spielte darauf an, dass Picasso und er wie Bergsteiger durch ein Seil miteinander verbunden waren.

2 Thierry Dufrêne, »De la légende à l'œuvre«, in: ders., *Modigliani*, Paris 2020, S. 11–21.

3 Pierre Daix, »Picasso et Modigliani«, in: *Modigliani, l'ange au visage grave*, hg. von Marc Restellini (Ausst.-Kat. Musée du Luxembourg, Paris), Mailand 2003, S. 63–70.

4 Jeanne Modigliani, *Modigliani sans légende*, Paris 1961, S. 48.

5 Francis Carco, *L'Ami des peintres*, Paris, 1953, S. 36.

6 Louis Latourette, »Preface«, in: *Modigliani*, Paris 1929, S. 6.

7 Ebd.

8 Fernande Olivier, *Souvenirs intimes: écrits pour Picasso*, Paris 1988, S. 227. Üblich war das Wortspiel »Modi« und »maudit« unter den Freunden Modiglianis.

9 Die Autorin dankt Herrn Gérard Dufaud herzlich dafür, sie auf das Manuskript Fernande Oliviers hingewiesen zu haben, dem dieser Auszug entnommen ist.

10 André Warnod, »L'École de Paris«, in: *Comoedia* 19, 4419, 27. Januar 1925, S. 1.

11 Daniel Marchesseau, »L'Isolement de Modigliani«, in: *Amédéo Modigliani, 1884–1920*, hg. von Daniel Marchesseau (Ausst.-Kat. Musée d'Art Moderne de la Ville de Paris), Paris 1981, S. 15 f.

12 Jeanne-Bathilde Lacourt, »L'Art qui sépare et qui unit, le grand œuvre de Modigliani, 1905-1915«, in: *Modigliani, l'œil intérieur*, hg. von Sophie Lévy (Ausst.-Kat. LaM, Lille Métropole Musée d'Art Moderne, d'Art Contemporain et d'Art Brut), Paris 2016, S. 25.

13 Anna Achmatowa, zit. nach: Akhmatova und Ursula Austin, »Amedeo Modigliani«, in: *The Threepenny Review* 38, Sommer 1989, S. 29.

14 Françoise Gilot und Carlton Lake, *Leben mit Picasso*, aus dem Amerikanischen von Anne-Ruth Strauß, Zürich 1981, S. 221.

15 Franck Gelett Burgess, »The Wild Men of Paris«, in: *The Architectural Record* 27, Mai 1910, S. 401-414.

16 Siehe insbesondere William Rubin (Hg.), *›Primitivism‹ in 20th Century Art. Affinity of the Tribal and the Modern*, New York 1984, und Thierry Dufrêne, »Primitivisme et modernité«, in: Dufrêne 2020, S. 72–83.

17 Jaime Sabartés, *Picasso. Gespräche und Erinnerungen*, aus dem Spanischen von Oswald von Nostitz, Frankfurt am Main 1990, S. 228.

18 Yaëlle Biro, *Fabriquer le regard. Marchands, réseaux et objets d'art africains à l'aube du XXe siècle*, Dijon 2018.

19 Die sogenannte »tête Brummer«, eine ganz und gar außergewöhnliche Figur, war eines der meistreproduzierten Werke, das dazu beitrug, dem künstlerischen Wert außereuropäischer Skulptur Anerkennung zu verschaffen.

20 Der Katalog zählt 35 europäische und 25 außereuropäische Werke auf.

21 Siehe diesbezüglich die Studie von Yaëlle Biro, die einen Teil der ausgestellten Objekte identifiziert hat, in: Biro 2018, S. 236–242.

22 Émile Lejeune, »Montparnasse à l'époque héroique. L'extraordinaire aventure d'un peintre genevois«, in: *La Tribune de Genève*, 5./6. Februar 1964.

23 Bénédicte Renié, »Le Soutien des artistes à la création contemporaine durant la Grande Guerre: les soirées de la salle Huyghens (1916–1917)«, in: Marie Gispert, Catherine Méneux, Emmanuel Pernoud und Pierre Wat (Hg.), *Actes de la Journée d'études ›Actualité de la recherche en XIXe siècle‹*, Master 1, 2013/14, Paris, URL: <https://hicsa.univ-paris1.fr/documents/file/JE%20Meneux%20 Master%202014/9-Renie%CC%81-Salle%20Huyghens.pdf> [Abruf Juni 2021].

24 Hélène Klein meint hinsichtlich der »Gitarre«, das im Metropolitan Museum of Art befindliche Werk *Gitarre und Klarinette auf einem Kamin* (1915) erkennen zu können; siehe *Max Jacob et Picasso*, hg. von André Cariou (Ausst.-Kat. Réunion des Musées Nationaux Paris), Paris 1994, S. 133.

25 Hélène Seckel-Klein, *Picasso collectionneur*, hg. von Réunion des Musées Nationaux et du Grand Palais des Champs-Élysées, Paris 1998, S. 186–189.

26 Gilot / Lake 1981, S. 13.

27 William Rubin, »Visits with Picasso at Mougins. Interview with Milton Esterow«, in: *Art News* 72, 6, Sommer 1973, S. 42–46, zit. nach Seckel-Klein 1998, S. 188.

28 Christian Parisot, *Modigliani. Catalogue raisonné*, Livorno 1991, Kat. 26/1918.

29 John Pudney, »Picasso – A Glimpse in Sunlight«, in: *The New Statesman and Nation*, 16. September 1944, S. 182 f., zit. nach Marilyn MacCully, *Picasso, an Anthology*, Livorno 1991, S. 225.

30 Ebd., S. 226.

31 Harriet und Sidney Janis, *Picasso: The Recent Years, 1939–1946*, Garden City, NY 1946.

32 Umberto Eco, *Histoire de la laideur*, Paris 2007; dt.: Umberto Eco (Hg.), Die Geschichte der Häßlichkeit, aus dem Italienischen von Friederike Hausmann, Petra Kaiser und Sigrid Vagt, München 2007, S. 16.

33 Steven A. Nasch, »Picasso; Art and War«, in: *Picasso and the War Years*, 1937–1945, New York 2003, S. 33.

34 Siehe insbesondere eine Ansichtskarte der katalanischen Madonna, die Joan Vidal i Ventosa im Dezember 1964 an Picasso schickte (515AP/C/172/18/3).

35 Pierre Daix erinnert sich, dass Picasso mehrmals mit viel Gefühl von Modigliani gesprochen habe. Siehe Pierre Daix, »Picasso et Modigliani«, in: Ausst.-Kat. Paris 2003, S. 70.

36 Den Spitznamen »Neger-Botticelli« erhielt Modigliani 1929 von Adolphe Basler.

BRANCUSI UND MODIGLIANI

Friedrich Teja Bach

I

Constantin Brancusi und Amedeo Modigliani kamen ungefähr zur selben Zeit nach Paris, Brancusi 1904 aus Bukarest und Modigliani Anfang 1906 aus Livorno. Ende 1907 lernte Modigliani den Arzt Paul Alexandre kennen, der ihn in den nächsten Jahren unterstützte. Alexandre hatte in der Rue du Delta ein kleines Gebäude gemietet, das er als Mäzen für verschiedene künstlerische Aktivitäten zur Verfügung stellte. Dort machte er Anfang 1908 Brancusi und Modigliani miteinander bekannt.[1] Beide verkehrten weitgehend in denselben sozialen Kreisen, wie etwa dem Salon Anders, dem Salon Ricou[2] und in den Künstlercafés La Rotonde, Le Dôme und La Closerie des Lilas. Der gemeinsame Freundes- und Bekanntenkreis umfasste Künstler wie Manuel Ortiz de Zárate und Amadeo de Souza-Cardoso, Pablo Picasso und die Futuristen Umberto Boccioni und Gino Severini, die Schriftsteller und Kritiker Guillaume Apollinaire, Max Jacob und André Salmon, die Bildhauer André Derain, Jacob Epstein, Jacques Lipchitz, Léon Indenbaum und Ossip Zadkine. Nachdem Brancusi Modigliani ein Atelier in der Cité Falguière, unweit seines eigenen Ateliers vermittelt hatte, sahen sich beide häufig, und es war dann auch Brancusi, der – zusammen mit Maurice Drouard, wie Brancusi ein ehemaliger Schüler von Antonin Mercié – Modigliani in die Techniken der Bildhauerei, der direkten Bearbeitung des Steins einführte bzw. ihm half, seine Kenntnisse in diesem Metier aufzufrischen.[3] Denn eben das, Bildhauer, wollte Modigliani sein, wohl schon seit 1902, vor allem aber wieder in den frühen Jahren in Paris.

Aus dieser Zeit um 1909 datieren auch Modiglianis Porträtzeichnungen von Brancusi und der Entwurf eines Porträtgemäldes. Während eine dieser Zeichnungen nur den Kopf Brancusis wiedergibt und mit »Après Livorno« und »Brancusi« beschriftet ist,[4] zeigt eine andere, relativ großformatige Zeichnung Brancusi sitzend mit übereinandergeschlagenen Beinen (Abb. 1). Die Zeichnung ist flüchtig mit Bleistift skizziert und dann in Tusche ausgeführt, wobei zunächst eher trocken aufgetragene Schattierungsbahnen mit kräftigen, satten Strichlagen überzeichnet wurden. In der Literatur wird diese Arbeit meist als »Porträt Brancusis, in einem Sessel sitzend« betitelt. Das ist naheliegend, wenn man die vertikale Ovalform, in die der Oberkörper des Sitzenden eingeschrieben ist, gegenständlich und also als Rückenlehne eines Sessels liest. Doch eine solche Lesart, die starke soziale Implikationen hat und auch gewisse Lokalitäten wie etwa Brancusis Atelier als Entstehungsort dieser Darstellung ausschließt, ist keineswegs zwingend. Wie auch der Blick auf andere Zeichnungen zeigt,[5] hat Modigliani gerade bei Tuschzeichnungen in dieser Zeit häufig die Figur bzw. deren Oberkörper in eine Ovalform eingefasst, die ihre Einheit und Geschlossenheit, ihr Versammeltsein betont. Ein solches Bei-sich-Bleiben wird bei dem Porträt Brancusis auch durch die Darstellung der Augenpartie verstärkt, die den fast stechenden, scharf nach außen greifenden Blick, für den Brancusi bekannt war, in die Energie eines undurchdringlichen, fast brütenden Dunkels übersetzt. Man geht wohl nicht fehl in der Annahme, dass einer der Gründe, die Modigliani dazu bewogen, für diese Darstellung das Medium der Tuschzeichnung mit ihrer Konnotation von Wildheit und Abruptheit zu wählen, darin bestand, dass er hier weniger den Meister klarer und geschlossener Kuss-, Kopf- und Torsoformen im Blick hatte, als vielmehr die Persönlichkeit seines Freundes, Brancusis emotionale und energetische Existenz. Auch für dieses Porträt scheint zu gelten, was Ilja Ehrenburg einmal über Modiglianis Bilder sagte, dass sie »die Natur des Menschen auf [schließen]«.[6]

Programmatischen Charakter hat der ebenfalls um 1909 gemalte, aber leider unausgeführt gebliebene Entwurf eines Porträtbildnisses von Brancusi (Abb. 2). Und dies nicht zuletzt deshalb, weil der Entwurf in seinen blauen Konturierungen, seiner dünnen Farbigkeit, die den hellen Grund durchscheinen lässt, und seinem Scharen von »taches« über- und nebeneinandersetzenden Farbauftrag an Gemälde Paul Cézannes erinnert, vor allem an dessen Aquarelle. Cézanne war in diesen Jahren ja sehr präsent in Paris. Auf dem Salon d'Automne von 1907, wo Modigliani sieben seiner Werke zeigte, war dem im Jahr zuvor verstorbenen Künstler ein Raum als Gedächtnisausstellung gewidmet; die Galerie Bernheim-Jeune zeigte ebenfalls 1907 eine Ausstellung seiner Aquarelle und im Januar 1910 eine große Ausstellung von Gemälden und Aquarellen. Wie mehrere der Gemälde Modiglianis bezeugen – etwa *Bettler von Livorno*, *Die Jüdin* und das auf der anderen Seite der Leinwand des Brancusi-Porträts ausgeführte Gemälde *Der Cellist* – war Cézanne in diesen Jahren der zentrale Bezugspunkt seiner Malerei.[7] Modiglianis Bildnis von Brancusi stellt so eine Synthese der beiden für ihn zu dieser Zeit wichtigsten künstlerischen Orientierungen dar, der malerischen an Cézanne und der bildhauerischen an Brancusi. Es ist ein »Bekenntnisbild« – und wirft deshalb umso mehr die Frage auf, warum es unvollendet blieb.

II

In Paris überschnitten sich nicht nur die Lebensräume von Modigliani und Brancusi, hier teilten sie auch entscheidende künstlerische Anregungen. Von besonderer Bedeutung waren die prähistorische und archaische Kunst des Mittelmeerraums sowie afrikanische und ägyptische Kunst. Als zeitgenössische Vermittler spielten dabei Paul Gauguin und André Derain eine zentrale Rolle. Gauguin, dessen Retrospektive im Salon d'Automne von 1906 großes Aufsehen erregte, leistete mit seiner Hinwendung zu buddhistischer Kunst und der Kunst Polynesiens sowie mit Werken wie *Oviri* und direkt in Holz geschlagenen Skulpturen einen entscheidenden Beitrag zur modernen Auseinandersetzung mit außereuropäischen Kulturen und sogenannter primitiver Kunst; er ging so weit, eine Holzskulptur der Vili (Kongo) leicht zu modifizieren und dann

Abb. 1 | Amedeo Modigliani, *Porträt von Brancusi, dem Bildhauer,* um 1909
Tusche auf Papier, 36,6 × 26,4 cm, Abelló Collection

Abb. 2 | Amedeo Modigliani, *Constantin Brancusi* (Verso von *Der Cellist*), 1909
Öl auf Leinwand, 73 × 60 cm, Abelló Collection

mit dem eigenen Namen zu signieren.[8] Derain war, wie sein *Album fauve* zeigt, wohl schon ab 1902 vor allem von ägyptischer und archaischer Kunst beeinflusst;[9] seine in Stein gehauenen Werke wie *Das Paar* (Kat. 67) und der *Kauernde* dürften für Modigliani und Brancusi wegweisend gewesen sein.[10]

Eine Auseinandersetzung Brancusis mit archaischer Skulptur zeigt eine um 1916 entstandene Zeichnung. Der Aufbau ihrer linken Figur entspricht wesentlich dem schlanken, aufstrebenden Körper einer griechischen Kore (Abb. 3, 4). Die beiden Kreise im runden Oberkörper dieser Figur wären somit mimetisch und zugleich abstrakt zu lesen: Sie stellen zum einen eine Verbindung der Darstellung der Brüste und der beiden Ansätze der Unterarme des griechischen Vorbilds dar und manifestieren zum anderen zusammen mit dem zum Kreis gerundeten Oberkörper die Verschiebung des archaischen Vorbildes ins Schematisch-Geometrische. Die Zeichnung zeigt so eine interessante Nähe zwischen einer von griechisch-archaischer Skulptur beeinflussten Figurendarstellung auf der linken Seite und einer eher von afrikanischer Skulptur beeinflussten Figurenkonstellation auf der rechten Seite, eine Nähe konfligierender, sich aber bei Brancusi wie auch bei anderen Künstlern in dieser Zeit zwanglos verbindender kultureller Orientierungen.

Wie Peter Neagoe, ein Jugendfreund Brancusis, erwähnt, hat auch Modigliani sich zu dieser Zeit mit griechischen Statuen beschäftigt und seine eigenen »primitiven« Köpfe »heads of Archaia« genannt.[11] Der Vergleich mehrerer dieser Köpfe mit dem Kopf einer stehenden attischen Göttin (um 580 v. Chr.) oder dem der Hera aus Olympia (Abb. 5, 6) scheint diesen Hinweis zu bestätigen.[12] Für beide, Modigliani und Brancusi, wird zudem in der Literatur ein Interesse an den »einfachen« Formen kykladischer Skulptur geltend gemacht,[13] und auch buddhistische Kunst und die Kunst der Khmer wird immer wieder als Anregung für beide Künstler genannt.[14]

Vor allem aber sind es die afrikanische und die ägyptische Kunst, die Brancusi und Modigliani in diesen Jahren nachhaltig inspirierten. Auf den kolonialistischen Kontext der künstlerischen Entdeckung afrikanischer Objekte um 1900 kann hier nicht näher eingegangen werden. Erwähnt sei aber wenigstens die entscheidende Rolle des Kunsthandels in der sich vollziehenden Transformation der afrikanischen Objekte von »fremdländischen Kuriositäten« zu Werken der Kunst, in deren Verlauf diese ihrer je eigenen Geschichte entkleidet und zu einem Projektionsraum für ein eurozentrisches Phantasma »Afrika« wurden, für eine neue Erzählung von ursprünglicher Einfachheit und Reinheit. Dabei geht es weniger darum, ökonomische Interessen gegen den neuen Blick der Künstler auszuspielen, als vielmehr um den gemeinsamen Beitrag beider zu der Herausbildung einer neuen Sichtweise und neuer Formen der Präsentation der afrikanischen Objekte: nunmehr als jeweiliges Einzelwerk, als freigestelltes »objet d'art«. Ökonomie und Kunst gingen auch insofern Hand in Hand, als mehrere der großen Kunsthändler, die früh mit

 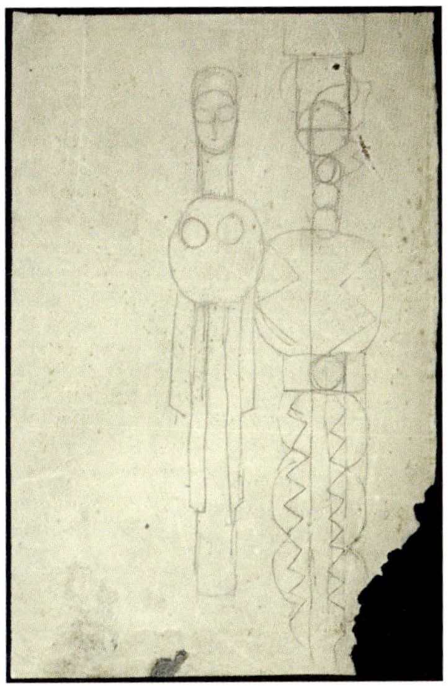  

Afrikanischem handelten, selbst auch Künstler waren, so etwa Joseph Brummer, Robert J. Coady, Marius de Zayas, Paul Guillaume und Charles Vignier.[15]

Der Ort der ersten Begegnung Brancusis mit afrikanischer Kunst war wohl das Naturhistorische Museum in Wien, wo er 1904 auf seiner Reise von Bukarest nach Paris Station machte. Der entscheidende Kontakt fand dann aber in Paris in Apollinaires oder Henri Matisses Atelier statt.[16] Wohl unter dem Eindruck afrikanischer Figuren, wie denen der Bamana, entstand 1913 *Der Erste Schritt* (Abb. 7; Kat. 7). Eine Zeichnung dieser Figur (Kat. 8) befand sich in der Sammlung Apollinaires, der für Brancusis Kenntnis afrikanischer Skulptur vermutlich einer der entscheidenden Vermittler war. Eine spätere Version dieser Skulptur, für die auch der Name *Kleines Französisches Mädchen* überliefert ist, erinnert an Helmmasken der Senufo. Auch drei 1914/15 begonnene Werke sind hier zu nennen: zwei große *Karyatiden* und *Madame L. R.*, für deren oberen Part wohl der Typ der Reliquienwächterfiguren der Fang/Hongwe Pate stand (Abb. 8, 9).[17] Schließlich weist auch Brancusis Version des anfänglichen Paares *Adam und Eva* in mehrerer Hinsicht Bezüge zu Afrikanischem auf. Für die ursprüngliche *Stehende Figur*, die er dann umarbeitete, und auch für den Einfall, die umgearbeitete Figur auf eine männlich konnotierte Trägerfigur zu stellen und als *Adam und Eva* zu präsentieren, sind unter anderem Anregungen wie etwa durch eine Doppelfigur der Kasai[18] oder einen Figurativen Stab der Luba denkbar. Brancusi hat also einzelne Formen und ornamentale Motive wie Kerbschnitt, sägeförmige Zackenbänder und die Reihung ringförmiger Hohlkehlen übernommen. Darüber hinaus aber war Afrikanisches für ihn unter drei Gesichtspunkten von grundsätzlicher Bedeutung: erstens in Hinblick auf das, was er rückschauend einmal als die »*Befreiung* des künstlerischen Vorstellungsvermögens« durch die afrikanische Kunst bezeichnete.[19] Zweitens führte ihm die zeitgenössische Wertschätzung afrikanischer Skulptur die *Aktualität von Holz* – das ihm ja aus seiner rumänischen Heimat aus kunstgewerblichem Bereich gut bekannt war[20] – auch als Werkstoff moderner Skulptur im Kontext der urbanen Avantgarde vor Augen. Zum dritten, darauf hat Sidney Geist zu Recht hingewiesen,[21] hat die *Abstraktheit* afrikanischer Skulptur, wie sie etwa in manchen Masken vorliegt, wohl wesentlich dazu

Abb. 3 | Statue einer archaischen Kore, Erechtheion, Akropolis, Athen, um 520 v. Chr.
Marmor, Höhe: 167 cm, Akropolis Museum, Athen

Abb. 4 | Constantin Brancusi, *Paar* (Skizze für *Adam und Eva* ?), 1916
Bleistift auf Papier, 35,3 × 23,2 cm
Musée National d'Art Moderne, Centre Pompidou, Paris

Abb. 5 | Kolossaler Kopf der Hera, Olympia, 7.–6. Jahrhundert v. Chr.
Kalkstein
Archaeological Museum, Olympia

Abb. 6 | Amedeo Modigliani, *Kopf einer Frau mit Chignon*, 1911/12
Sandstein, 57,2 × 21,9 × 23,5 cm
Kunsthaus Zürich, Sammlung Gabriele und Werner Merzbacher

beigetragen, ihm den Weg zu einer abstrakt-zeichenhaften Dimension zu eröffnen. Diese bestimmt dann seine Holzskulptur, also Werke wie *Madame L. R.*, den *Wachhund*, die *Hexe*, die *Chimäre* und den *Verlorenen Sohn*, der wie eine freie Variation des Themas afrikanischer Schultermasken anmutet (Abb. 10, 11) und von seinem ersten Besitzer ja auch zusammen mit afrikanischer Skulptur präsentiert wurde.[22]

Auch für Modigliani ist das Interesse an afrikanischer Skulptur mehrfach bezeugt.[23] Ein Bildnis Paul Alexandres, das Brancusis *Unendliche Säule* zu zitieren scheint, wirkt auf den ersten Blick wie eine Hommage Modiglianis an die beiden für ihn in dieser Zeit wichtigsten Personen – aber eben nur auf den ersten Blick, da das Zackenmotiv am rechten Rand des Porträts eben nicht eine *Unendliche Säule* wiedergibt, sondern einen nordafrikanischen Wandbehang, wohl einen Beni Ouarain aus dem Besitz des Dargestellten oder ein Gewebe, wie es eine Fotografie festhält, die Jeanne Hébuterne zeigt (Abb. S. 206).[24] Anders als für Brancusi sind für Modigliani als Anregungen eigener Werke aber ausschließlich figürliche Motive von Interesse. Für seine Kopfidole wurde besonders auf Tanzmasken der Baule sowie auf Masken der Fang und Marka hingewiesen.[25] Ein Vergleich eines steinernen *Kopfes* im Philadelphia Museum of Art mit einer Maske der Marka (Abb. 12; Kat. 78) zeigt die formale Verwandtschaft der beiden gestreckten Köpfe mit ihren markanten Nasenkeilen oder besser die Verwandtschaft der beiden Gesichtsformen. Denn im Block des Hinterkopfes und der zumindest in ihren vorderen Konturen kantigen Halsform weist Modiglianis Kopf eine tektonische Qualität auf, die einer anderen Vorstellung entspringt als der einer afrikanischen Maske. Auch für einen anderen Kopftyp, bei dem eine komprimierte Augen-Nase-Mund-Konstellation in ein nahezu kreisförmiges Gesicht gesetzt ist, erscheint eine Anregung durch afrikanische Kunst, wie etwa die Masken der Marka in Mali, möglich. Zusammen mit dem *Kopf* des Kimbell Art Museums bestätigen Zeichnungen Modiglianis in einem Skizzenbuch die Intensität seiner Beschäftigung mit diesem Typus.[26] Einige seiner Karyatiden-Zeichnungen, bei denen die Figur eine gewisse Strenge der Frontalität und Symmetrie aufweist, mögen von Karyatiden-Hockern wie denen der Luba des Kongo angeregt worden sein (Kat. 24, 27).

Zu Anfang des 20. Jahrhunderts war auch die ägyptische Kunst für viele Künstler eine prägende Orientierung, so etwa für Matisse, Derain und Picasso.[27] Für Brancusi ist das Interesse an deren »Monumentalität, der Kraft der Abstraktion und der Synthese« für 1909 bezeugt[28] und hat sich möglicherweise in seiner frühen Vogelserie der *Maïastra* niedergeschlagen.[29] Seine *Weisheit der Erde* (Kat. 5) und die *Alte Figur* erinnern in ihrer Haltung an entsprechende ägyptische Sitzfiguren (Abb. 13). Für Modigliani liegt hier ebenfalls ein direkter, zeitgenössischer Hinweis vor. So hielt Anna Achmatowa für die Zeit um 1911 fest, dass Modigliani ihr im Louvre die ägyptische Sammlung zeigte »und versicherte, alles übrige, *tout le reste*, brauche man nicht zu sehen. Er zeichnete meinen Kopf im Schmuck ägyptischer Königinnen und Tänzerinnen und schien vollkommen ergriffen von der großen Kunst Ägyptens«.[30] Gerade in manchen von Modiglianis Zeichnungen sind solche Resonanzen ägyptischer Formen spürbar.[31] In einigen seiner Kopfzeichnungen (Abb. 14) und in dem meisterhaften Kopfidol der Tate Gallery sowie jenem des Philadelphia Museum of Art (Kat. 78) hat Modigliani für die Gestaltung der Falten der äußeren Augenwinkel eine besondere Form gefunden, ein besonderes Zeichen: Die aus den Falten des äußeren Augenwinkels bzw. aus dem Brauenbogen und einem am äußeren Augenwinkel ansetzenden Lidstrich gebildete Form stellt ein charakteristisches Element des ägyptischen Udjat-Auges, des Horusauges dar (Abb. 15).

Anders als es die üblicherweise paarweise zusammengestellten Fotografien nahelegen, lassen sich für Brancusis und Modiglianis Auseinandersetzung mit archaischer Kunst und außereuropäischen Objekten direkte Zuordnungen in den seltensten Fällen vornehmen, sodass das Auseinanderdividieren von »Einflüssen« nur sehr begrenzt sinnvoll ist. Dies nicht nur deshalb, weil die verschiedenen Anregungen in der künstlerischen Tätigkeit adaptiert werden und verschmelzen, sondern auch weil die verschiedenen Formen des sogenannten »Primitiven« zeitgenössisch oft gar nicht als wesentlich getrennt verstanden werden. So ging einer der ersten Käufe einer

Abb. 7 | Männliche Figur, Bamana, 19. Jahrhundert
Holz, 65,5 × 14,5 × 11,8 cm
Musée du Quai Branly – Jacques Chirac, Paris

Abb. 8 | Reliquien-Wächterfigur, Hongwe, Gabun
Holz, Kupferblech und -draht, Höhe: 64 cm
Privatsammlung

Abb. 9 | Constantin Brancusi, *Madame L. R.*, 1914–1917
Holz, Höhe: 117,4 cm, Privatsammlung

Abb. 10 | Schultermaske, Nimba, Dimba, Baga, um 1900
Holz, Kupfer, 125 × 62 × 32 cm
Musée du Quai Branly – Jacques Chirac, Paris

Abb. 11 | Constantin Brancusi, *Der Verlorene Sohn*, um 1914/15
Holz, Kalksteinsockel, 44,4 × 20,5 × 20,5 cm; Sockelhöhe: 32 cm
Philadelphia Museum of Art. Sammlung Louise and Walter Arensberg

afrikanischen Skulptur durch einen Künstler der Moderne, durch Matisse, darauf zurück, dass diese ihn an »die riesigen Porphyrköpfe in den ägyptischen Sälen des Louvre erinnerte«, sodass er den Eindruck hatte, dass »die Methoden der Formbeschreibung in beiden Zivilisationen dieselben waren«.[32] Und Apollinaire schreibt 1912, »so mancher Fetisch aus Zentralafrika offenbart eine Ästhetik, die von der des alten Ägypten nicht sehr verschieden ist«.[33] Die erste Ausstellung afrikanischer Kunst in einer Galerie, 1913 im Verlagshaus Levesque, »stellte die Kunst Afrikas (›art nègre‹) zusammen mit alten Kunstwerken aus Asien, Ägypten und der Azteken aus«.[34]

III

Was Brancusi und Modigliani als Bildhauer in diesen Jahren verband, war vor allem die Arbeitsweise der *taille directe*, die direkte Bearbeitung des Steins. Das traditionelle Verfahren der Bildhauerei bestand ja darin, eine Figur in Ton zu modellieren und sie dann, für eine Ausführung in Marmor entweder direkt oder über die Zwischenform eines Gipsabgusses mit einer Pointiermaschine in einen größeren Maßstab zu übertragen und meist von Mitarbeitern des Ateliers ausführen zu lassen. Es war nicht zuletzt diese Werkstattpraxis, für die exemplarisch diejenige Auguste Rodins steht, welche die Skulptur um die Jahrhundertwende in den Augen jüngerer Bildhauer wie Derain, Jacob Epstein, Henri Gaudier-Brzeska, Brancusi und Modigliani in eine Krise geführt hatte.

Die direkte Bearbeitung des Materials schien einen Neuanfang zu garantieren, der seine Nähe zu vermeintlichen Anfängen gleichsam eigens ausstellte. Eng verbunden mit diesem Verfahren waren die Vorstellung der Materialgerechtigkeit, also der Gedanke, dass der Künstler sich von seinem jeweiligen Werkstoff, einem Holz- oder Steinblock, inspirieren lassen sollte, sowie die Blockhaftigkeit der Skulptur, die aus der Ausrichtung ihrer Konzeption an der Form des zur Verfügung stehenden Materials resultierte. Dem kam der Umstand entgegen, dass die Künstler nicht zuletzt aus finanziellen Gründen Fundsteine, Steine von Baustellen und Teile von Abbruchbalken und Bahnschwellen bearbeiteten, deren Konturen dann im Lauf des Arbeitsprozesses teilweise erhalten blieben oder im Ergebnis zumindest noch zu erahnen waren. Ab 1907 entstanden Werke Brancusis wie der *Mädchenkopf* (Abb. 16),[35] der *Kopf in einen Kieselstein gehauen*, die *Weisheit der Erde* und die *Alte Figur* sowie Köpfe von Modigliani wie das Werk in der Henry and Rose Pearlman Foundation und der Kopf des Musée National d'Art Moderne, Centre Pompidou in Paris, bei dem Vorder- und Rückseite zusammen sehr gut die direkte Bearbeitung eines Kalksteinblocks demonstrieren (Abb. 17, 18). Darüber hinaus werden hier auch die Risiken dieser Arbeitsmethode an der zuerst bearbeiteten und dann aufgegebenen jetzigen Rückseite augenfällig, bei der zu vermuten ist, dass Modigliani die Unterkante der Mandelform des rechten Auges vielleicht doch zu weit freigestellt hatte und die Nasenform

Abb. 12 | Maske der Marka
Privatsammlung

ihm durch einen zu entschiedenen Schlag an ihrer rechten Spitze als unrettbar erschien.

Die Blockhaftigkeit verleiht einer Skulptur eine tektonische Qualität, die sie gegenüber dem Architektonischen öffnet, gegenüber ihrer realen oder nur vorgestellten Einbindung in einen architektonischen Kontext. Ein zentrales Thema ist in diesem Zusammenhang die Karyatide. Beispiele dafür sind bei Brancusi das in Stein gehauene *Karyatidenpaar* (Abb. 19), das er als zentrales Element der Stele für seine erste Maïastra-Figur verwendete, ferner zwei große, in Holz gearbeitete *Karyatiden* sowie die Zeichnung einer Karyatide, die als Kapitell eines Pfeilers fungiert.[36] Noch zentraler ist das Thema für Modigliani. In Stein verwirklichen konnte er allerdings nur eine einzige *Karyatide* (Abb. 20). Die vollplastisch ausgearbeitete, in weichen Kalkstein geschlagene, kauernde Frauenfigur hat die Arme tragend über den Kopf gehoben. Ihre zum Teil nur rudimentäre Artikulation, ihre ungeglättete Oberfläche, die Spuren des Arbeitsprozesses zeigt, und die stämmig-schweren Beine verleihen ihr eine archaische Anmutung. Verwandt ist die durch die gesimsartige Gestaltung ihres Hinterkopfes als zur Familie der Karyatiden gehörig ausgewiesene lebensgroße *Stehende* (Abb. 21).[37] Der Reiz dieser Figur – eine der vorbereitenden Zeichnungen findet sich in der Ausstellung (Kat. 43) – beruht auf dem Spannungsverhältnis zwischen roh belassenen Partien wie den pfahlartigen Beinen und streng geometrischen Formen wie den Brüsten und dem Bauch oder der feinen Linienzeichnung der Augenbrauen, zwischen einer archaischen Gesamtwirkung und der Heterogenität unterschiedlicher kultureller Anmutungen. So wie Modiglianis Karyatiden-Zeichnungen sich so unterschiedlichen Anregungen verdanken wie afrikanischen Objekten und Figuren der griechisch-römischen Tradition – eine von Modiglianis Zeichnungen ist mit »Anadiomena« beschriftet und dokumentiert seine Kenntnis hellenistischer Figuren der kauernden Venus Anadyomene –, so erinnert die große *Stehende* in ihrer Körperhaltung an prähistorische, archaisch-griechische Statuen und an Figuren der Khmer, in ihrer elaborierten Haartracht an Ägyptisches und in der Formgebung ihres Gesichts an afrikanische Masken und Köpfe.

Die kauernde *Karyatide* und die große *Stehende* sind die einzigen von Modigliani in Stein geschlagenen großen Figuren, die erhalten sind. In ihren Umkreis gehören eine Vielzahl von Zeichnungen und Gouachen, in denen Modigliani das Thema der Karyatide in verschiedenen Haltungstypen immer wieder variiert hat – stehend, kauernd, im Schneidersitz, in Frontal- und Seitenansicht und so weiter.[38] Die mit diesem Thema verbundene tektonische Qualität ist dabei oft gelockert. Das im Tektonischen implizite Moment einer syntaktischen Umgruppierung des Anatomischen wird auf ein rhythmisches Spiel der Konturen hin akzentuiert. Beispielhaft zeigen dies zwei Karyatiden-Blätter der Ausstellung (Kat. 32, 35). Die in Gouache und Tinte ausgeführte rottonige *Karyatide* des Museum of Modern Art ist die »heißere«, wildere von beiden, während die mit Buntstift gezeichnete blaue *Karyatide* aus der Sammlung Netter sich durch die Disziplinierung der Konturen, eine gleichmäßigere Gewichtung und die Ausarbeitung des Zusammenspiels ihrer Rundungen auszeichnet. Mit ihren die organische Integrität des weiblichen Körpers überspielenden Resonanzen rhythmisch-bewegter Linearität und in der erotisch-sexuellen Qualität ihrer schwellenden Körperlichkeit sind diese Karyatiden mit Brancusis wenige Jahre später entstandener *Prinzessin X* verwandt (Abb. 22, 23). Überzeugend gelingt es Modigliani mit diesen Karyatiden-Blättern, in dem von Manet bis zu Picasso und Matisse reichenden zeit-

Abb. 13 | Prinzessin Wemtet-ka, Dahschur, Pyramide von Sneferu, Ägypten, um 2670–2620 v. Chr.

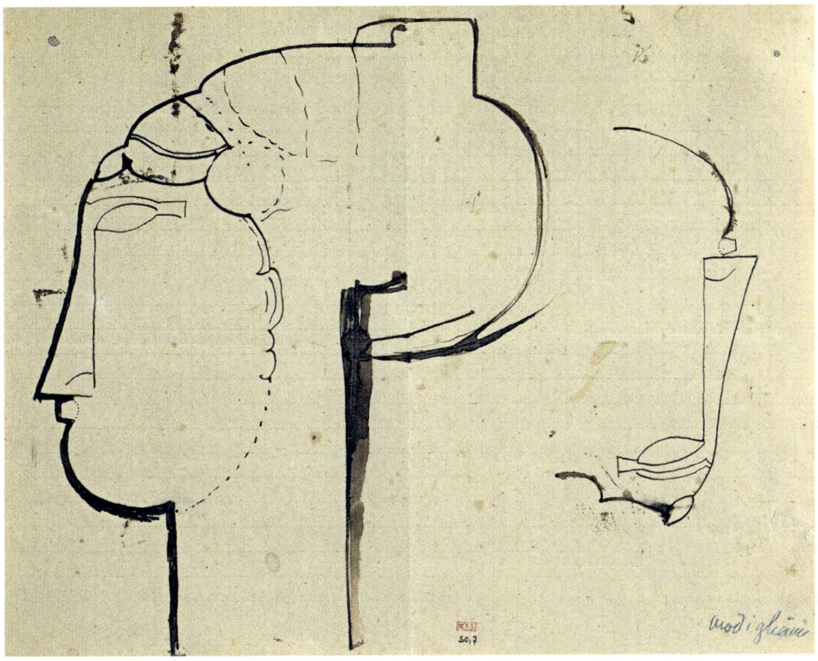

Abb. 14 | Amedeo Modigliani, *Kopf im Profil nach links*, um 1911/12
Feder, Tinte, laviert, 20,9 × 26,7 cm
Musée des Beaux-Arts, Rouen

Abb. 15 | Göttin Hathor-Amentet, Detail aus der Wandmalerei im Vestibül des Grabes des Haremhab, Theben, Ägypten, 19. Dynastie, 1333–1306 v. Chr.
Archeological Area, Theben

genössischen Wettstreit um die Form des weiblichen Aktes in der Moderne eine eigenständige Position zu formulieren. Neben der Rhythmisierung der Konturen sind seine Zeichnungen von Karyatiden aber zunehmend auch durch eine Ornamentalisierung der Figur bestimmt. Liebevoll durchgezeichnete Details wie Wimpernbögen und Augenlider, zeichenhafte Mundformen, zu grafischen Schmuckformen ausgestaltete Geschlechtsmerkmale, elaborierte Frisuren und der Körperschmuck von Ketten sowie die eine festliche Atmosphäre suggerierende Staffage von Lüstern und Kerzen im Hintergrund verdeutlichen die dieses Thema grundierende Obsession von Modiglianis Kult des Weiblichen.[39]

Nicht nur mit der tektonischen Qualität von Karyatiden, sondern auch mit der architektonischen Dimension ihrer Skulptur bzw. mit Überlegungen zu deren architektonischer Rahmung haben sich sowohl Brancusi als auch Modigliani beschäftigt. Bei Brancusi ist vor allem an das Ensemble von Târgu Jiu zu denken, aber auch an Projekte wie das eines Hochhauses in Form seiner *Unendlichen Säule* und an sein Projekt eines Tempels.[40] Auch Modigliani hat mit dem Gedanken gespielt, seine Karyatiden und Kopfidole als Ensemble in einem *temple de tendresse*, einem der Schönheit geweihten Tempel zu präsentieren.[41] Während das Architektonische aber bei Brancusi einen Grundzug des plastischen Schaffens ausmacht und seine Pläne für die Architektur eines Tempels relativ weit gediehen waren, ist das Architektonische in Modiglianis Skulptur keine wirklich bestimmende Dimension und die Auseinandersetzung mit der möglichen Architektur eines Tempels bei ihm nicht nachweisbar.

Im Zusammenhang mit diesen Tempelprojekten sei kurz auf die Bedeutung des Esoterischen für beide Künstler verwiesen. Dieser Begriff meint die zeitgenössische Beschäftigung mit Formen des Neoplatonismus, der Gnosis, jüdischer Mystik und christlichem Gedankengut, mit Alchemie, Hermetik, Spiritismus und Okkultismus sowie Anthroposophie und Theosophie. Für Brancusi finden sich zahlreiche Hinweise auf eine solche esoterisch-pantheistische Grundierung seines Weltbildes und seiner Vorstellungen vom Wesen und der Aufgabe der Kunst.[42] Von Modigliani ist bekannt, dass er »sich mit Okkultismus und Hermetismus ab[gab]« und »die meisten Bücher [las], die diese Gebiete betrafen«.[43] Jüdisches Denken hatte für ihn eine besondere Bedeutung. Die Kabbala war ihm schon seit seiner Jugend vertraut als die prägende Kraft des auf die grundlegende Einheit aller Religionen gerichteten ökumenischen Humanismus der sephardischen Juden Livornos.[44] Vereinzelt notierte er auf seinen Zeichnungen auch alchemistische Zeichen.[45] Und eine seiner ganz wenigen erhaltenen persönlichen Notizen, die Weltanschauliches betreffen, lautet 1913: »So wie die Schlange aus ihrer Haut schlüpft, so wirst Du Dich von der Sünde befreien. ☿ Das Gleichgewicht durch entgegengesetzte Extreme. △ Der Mensch unter drei Aspekten betrachtet ✡ Aour!«.[46] Ein solches Interesse für esoterische Traditionen ist nicht für Brancusi und Modigliani spezifisch, sondern in ihrem gesamten künstlerischen Umkreis fassbar, also etwa bei Alexander Archipenko, Otto Freundlich, Manuel Ortiz de Zárate, Guillaume Apollinaire, Erik Satie, André Derain und vor allem Max Jacob.[47] In der einen oder anderen Variante grundiert es als Erscheinungsform urbaner Spiritualität und Religiosität die Vorstellungen von der Notwendigkeit einer universalen Sprache der Kunst, den Gedanken vom Leben der Materie und der Materialgemäßheit der skulpturalen Form sowie die Vorstellungen von Einfachheit und Schönheit als Ziele des künstlerischen Schaffens. Im Zusammenspiel mit den konkreten Anregungen durch außereuropäische Objekte sind diese Vorstellungen ein wichtiger Transmissionsriemen der zeitgenössischen Suche nach den Anfängen – und nicht zuletzt wohl auch ein wichtiges

Element der Freundschaft zwischen Modigliani und Brancusi. Beispielhaft gesagt: Charakteristischer für ihre Beziehung als der mehr oder weniger banale Wortlaut der Mitteilung auf der einzig erhaltenen, von Modigliani an Brancusi adressierten Postkarte ist die Wahl dieser Ansichtskarte, die auf ihrer Vorderseite Piero di Puccios Fresko (Pisa, Campo Santo) mit der Erschaffung von Adam und Eva und deren Vertreibung aus dem Paradies zeigt.[48]

IV

Neben der direkten Bearbeitung des Materials ist die Suche nach Einfachheit, nach einer essenziellen Form, die zweite grundlegende Gemeinsamkeit der bildhauerischen Arbeit Brancusis und Modiglianis. Diese nahm bei beiden allerdings durchaus unterschiedliche Formen an. Gemeinsam ist ihnen zunächst die Wertschätzung der Kraft der Zahl und der geometrischen Strenge skulpturaler Form. Man kann sagen, dass zwischen 1905 und 1920 die Überzeugung von der Notwendigkeit der Fundierung des künstlerischen Ausdrucks in den universalen Gesetzmäßigkeiten des Mathematischen ein weitverbreitetes künstlerisches Credo war. Apollinaire fasste es 1912 in die Worte, »die Geometrie ist für die Bildende Kunst dasselbe wie die Grammatik für den Schriftsteller«.[49] Bei Brancusi manifestiert sich eine solche Wertschätzung in Werken wie dem *Kuss*, in *Maïastra* und *Danaïde*, in dem *Verlorenen Sohn* und der *Schüchternheit* (1916/17), deren Kontur drei Kreisformen folgt (Abb. 24, 25), sowie in Arbeiten wie dem *Architektonischen Projekt* (1918) und der *Unendlichen Säule* (1918), die sich aus seinen Sockelformen entwickelten. Bei Modigliani ist an die nahezu geometrischen Binnen- und Konturformen vieler seiner in Stein geschlagenen und gezeichneten Köpfe und Figuren zu erinnern, wie etwa bei seiner großen *Stehenden* und der schon erwähnten blauen *Karyatide* (Kat. 32; Abb. 26). Aufschlussreich für die Entstehung der hier oft bestimmenden Strenge und Präzision der Linienführung ist eine Beschreibung der Art, in der Modigliani zeichnete. »Gewöhnlich zeichnete er nach dem lebenden Modell auf dünnes Papier. Bevor das Blatt ganz vollendet war, legte er dann ein zweites, mit Grafitpapier bedecktes Blatt darunter, auf das er die ursprüngliche Zeichnung in sehr vereinfachter Weise durchzeichnete«.[50] Gemeinsamer Tenor der künstlerischen Anstrengung ist die Realisierung der Schönheit. Diese wird als Vereinigung von Gegensätzen verstanden. »Das Schöne«, notiert Brancusi, »ist die Harmonie verschiedener, gegensätzlicher Elemente«.[51] Ähnlich spricht Modigliani vom »Gleichgewicht durch entgegengesetzte Extreme«.[52] Das Verständnis der Grundstruktur des Schönen als Ausgleich und Balance widerstreitender Elemente aktualisiert einen antiken Topos der Ästhetik, ist doch schon im griechischen Mythos Harmonia die Tochter von Aphrodite und Ares, der Göttin der Liebe und des Gottes des Krieges.

Eine zentrale Differenz zwischen Brancusi und Modigliani ist das Ausmaß der Bindung der Schönheit an die menschliche Figur. Modigliani ist wesentlich Porträtist und Figurenmaler und blieb, wie Werner Schmalenbach einmal treffend schrieb, »fast schicksalhaft an das Bild des Menschen gebunden«.[53] »Schicksalhaft« war diese Bindung nicht zuletzt insofern, als Modiglianis Parteinahme für das »Bild des Menschen« und für eine Balance zwischen abstrakten und individualisierenden Zügen wohl nicht zuletzt in seinem Judentum begründet war. Dabei ist Schönheit für ihn im Wesentlichen Schönheit der weiblichen Figur. Auch bei Brancusi liegt mit Werken wie

Abb. 16 | Constantin Brancusi, *Mädchenkopf*, 1907
Fotografie des Künstlers
Verbleib unbekannt

Abb. 17 | Amedeo Modigliani, *Kopf einer Frau*, um 1911–1913
Stein, 47 × 27 × 31 cm
Musée National d'Art Moderne, Centre Pompidou, Paris

Abb. 18 | Amedeo Modigliani
Verso von *Kopf einer Frau*, Abb. 17

Abb. 19 | Constantin Brancusi, *Maïastra* mit *Karyatidenpaar,* 1910–1912
Marmor, Kalksteinsockel, Gesamtmaße: 233,7 × 32,5 × 27,1 cm;
Höhe Karyatidenpaar und Sockel: 177,8 cm
Museum of Modern Art, New York. Legat Katherine S. Dreier

Abb. 20 | Amedeo Modigliani, *Karyatide,* um 1914
Kalkstein, 92,1 × 41,6 × 42,9 cm
Museum of Modern Art, New York. Mrs. Simon Guggenheim Fund

Abb. 21 | Amedeo Modigliani, *Stehender Akt,* um 1912
Kalkstein, 162,8 × 33,2 × 29,6 cm
National Gallery of Australia, Canberra

Baronin R. F., *Schlummernde Muse*, *Danaïde* und *Eine Muse* eine starke Bindung des Themas der Schönheit an die weibliche Figur vor. Beeindruckend und zugleich irritierend ist die Insistenz, mit der er etwa in der Serie der *Mademoiselle Pogany* über zwanzig Jahre (1912–1933) an dieser Verbindung festhält, in der Einfachheit und Schönheit ja immer auch riskieren, das Kleid einer modischen Eleganz, einer »Essenz als Jugendstilmotiv«[54] anzulegen. Aber Brancusis Suche nach der Schönheit hat sich schon früh auch auf andere Formen des Kreatürlichen, ja selbst des Dinglichen ausgedehnt, muss die Kunst doch, wie er einmal notiert, »die Schönheit wie sie ist, in ihrem Rahmen und an ihrem Platz, repräsentieren«.[55] Das schließt für ihn vor allem Tiere, aber auch Pflanzen und wohl auch Dinge wie Tassen ein. Schönheit wird von ihm in einer essenziellen Form angestrebt, die Strenge und Klarheit mit organischer Qualität vereint – und sich zugleich von der Geometrisierung der Form entfernt, dem ursprünglichen Instrument ihrer Verwirklichung. In beiden Fällen blieb diese Suche, für die beispielhaft die Werkserien der Vogelskulpturen Brancusis und der Idolköpfe Modiglianis stehen, nach dem Verständnis der Künstler unabgeschlossen, eine Bewegung der Annäherung.[56]

Wenn Modigliani nach einem »Gleichgewicht durch entgegengesetzte Extreme« suchte, dann lässt sich die Schönheit seiner skulpturalen Werke als Einheit des Heterogenen charakterisieren. Sie suchte er in Gestaltungen zu fassen, die gleichsam als Resonanzkörper verschiedenster kultureller Räume ausgewiesen sind. Manchmal sind dabei die stilistischen Differenzen zwischen einzelnen Formen – Kopfform, Frisur, Augen, Mund, Nase und so weiter – so markant, dass der Eindruck entsteht, Modigliani wolle in einem Kopf als Summe verschiedenster Zeichen von Schönheit seine programmatische Überzeugung von einer Balance der Gegensätze zur Anschauung bringen. Das führt noch einmal auf das Phänomen der Horus-Äugigkeit beim Kopf der Tate Gallery und des Philadelphia Museum of Art (Kat. 78) zurück. Die Vertrautheit mit dem Horus-Zeichen kann nicht zuletzt angesichts von Modiglianis Freundschaft mit dem portugiesischen Künstler Amadeo de Souza-Cardoso vorausgesetzt werden.[57] In Souza-Cardosos Atelier fand, unter Mithilfe Brancusis bei der Installation, 1911 die erste Ausstellung von Köpfen Modiglianis statt (Abb. 27). Und hier hielt Souza-Cardoso 1908 im Freundeskreis einen Vortrag über die »Dekorative Vereinfachung der Hieroglyphen und deren Einfluss auf die moderne Kunst«.[58] Als Hieroglyphe steht das Horus-Auge im Ägyptischen »für ganz machen und heilen«.[59] Wie der ägyptische Mythos berichtet, soll Seth während eines Streits Horus sein linkes Auge ausgerissen haben, das dann von Thot bzw. Hathor wieder geheilt und so zum Symbol *wiedererlangter* Ganzheit wurde.

Abb. 22 | Amedeo Modigliani, *Karyatide*, um 1914
Gouache, Pastellkreide und Bleistift auf Papier, 140,7 × 66,5 cm
Museum of Fine Arts, Houston. Schenkung Oveta Culp Hobby

Abb. 23 | Constantin Brancusi, *Prinzessin X*, 1909–1916
Marmor, Kalksteinsockel, 56 × 28 × 23 cm
Sheldon Museum of Art, University of Nebraska, Lincoln. Schenkung Mrs. Olga N. Sheldon in Erinnerung an Adams Bromley Sheldon

Die Horus-Äugigkeit ist allerdings nur ein Aspekt von Modiglianis Kopf aus der Tate Gallery. Andere, wie die Kopfform als Ganzes und der Keil der Nase, sind kaum einer Orientierung an Ägyptischem zuzuordnen. Die Keilform der Nase erinnert vielmehr an kykladische und afrikanische Figuren sowie an Köpfe Brancusis und an protokubistische Arbeiten Picassos (Kat. 113, 115). Für dieses Werk wie für Modiglianis Skulptur insgesamt ist also eine Verbindung von ganz unterschiedlichen Anregungen charakteristisch, ein Eklektizismus der Form. Dieser Eklektizismus hat bei Modigliani eine spezifische Signatur. Er ist Ausdruck seines in der Krise der Bedeutung der menschlichen Figur unternommenen Zusammensuchens von Zeichen der Schönheit in den bildnerischen Sprachen von Kulturen, die dem Anfang vermeintlich noch näher waren. So gesehen sind Modiglianis Skulpturen Elemente eines künstlerischen Projekts der *restitutio* oder Restauration im wörtlichen Sinne, eines Projekts, das sich als Beitrag zur Wiederherstellung eines Zustands von Harmonie und Ganzheit verstand – oder doch wenigstens als Erinnerung daran. Ein wichtiger Hintergrund eines solchen Zusammensuchens von ursprünglichen Zeichen der Schönheit mag für Modigliani der universale Humanismus seines jüdischen Glaubens gewesen sein. Zugleich aktualisiert er damit den antiken, mit der Feier der Schönheit verbundenen Künstlermythos von Zeuxis und den krotonischen Jungfrauen. Von der Stadt Kroton mit Gemälden für einen Tempel der Juno beauftragt, erbat sich Zeuxis, um das Bild der Helena als Inbegriff weiblicher Schönheit malen zu können, die schönsten Jungfrauen der Stadt als Modelle und wählte unter diesen die jeweils schönsten Züge aus.[60]

V

Bei aller Verwandtschaft zentraler Aspekte ihrer bildhauerischen Arbeit in den Jahren ihrer Freundschaft und bei aller Gemeinsamkeit der diese leitenden und begleitenden künstlerischen Interessen waren Modigliani und Brancusi recht unterschiedliche Menschen. Anders als Brancusi, der aus einem bäuerlich-ländlichen Milieu kam, stammte Modigliani aus einer von literarisch-intellektuellem Leben geprägten Familie des städtischen Bürgertums. Während Modigliani von zuvorkommendem, fast aristokratischem Habitus war und zunehmend einen bohèmehaften Lebensstil pflegte, lebte der acht Jahre ältere Brancusi bei aller Geselligkeit und Neigung zu spontanen Burlesken zurückgezogener und stärker auf sein Atelier fokussiert und war dem Leben in Cafés abgeneigt, das einem, wie er sagte, die Kraft entzog.[61] Und während Brancusi schon vor 1920 nicht zuletzt auch in seiner Holzskulptur Werke von großer innovativer Radikalität schuf, war Modigliani bei aller Modernität doch ein Traditionalist, dem jegliche Form avantgardistischer Radikalität fremd war.

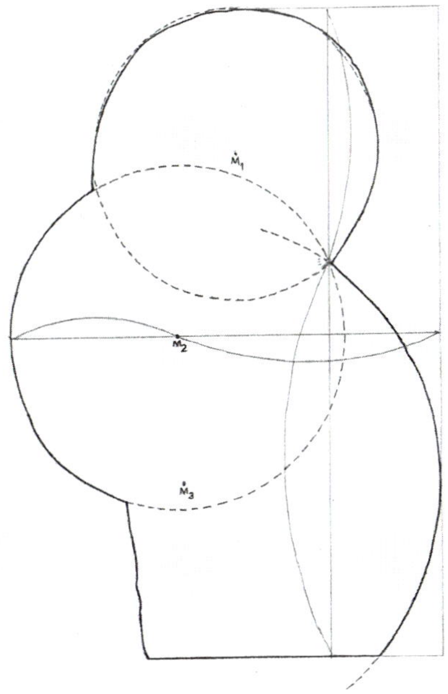

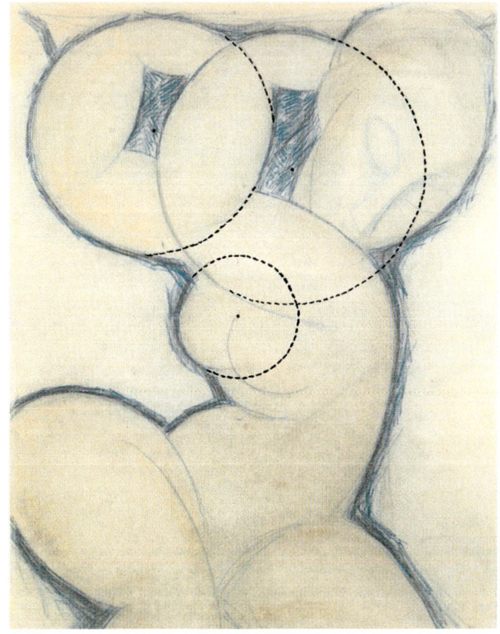

Abb. 24 | Constantin Brancusi, *Die Schüchternheit*, um 1917
Kalkstein, 36,5 × 25 × 22 cm
Musée National d'Art Moderne, Centre Pompidou, Paris. Legat Constantin Brancusi

Abb. 25 | Diagramm zu *Die Schüchternheit*, Abb. 24

Abb. 26 | Diagramm zur *Karyatide*, Kat. 32

Und doch entwickelte sich zwischen beiden eine tiefe Sympathie und Freundschaft. »Ich mag diesen Mann sehr, grüß' ihn von mir, wenn Du ihn siehst«, schrieb Modigliani im Spätsommer 1909 an Paul Alexandre über Brancusi.[62] Diese Freundschaft währte allerdings nur wenige Jahre, ebenso wie Modiglianis intensive Beschäftigung mit der Bildhauerei selbst. Modiglianis Lebenstraum, wie die Bildhauer der großen italienischen Tradition von Tino di Camaino bis zu Michelangelo in Marmor zu arbeiten, ging nie wirklich in Erfüllung und auch der Umfang seiner in weicherem Kalksandstein realisierten Skulptur blieb beschränkt. Um 1914/15 beendete Modigliani seine Arbeit als Bildhauer, etwa zur selben Zeit trat mit dem zunehmenden Auseinandertreten ihrer künstlerischen Ziele auch eine persönliche Entfremdung zwischen beiden Künstlern ein.

Neben finanziellen Umständen sind für das Ende von Modiglianis bildhauerischer Tätigkeit vor allem gesundheitliche und körperliche Gründe genannt worden. Eindringlich und durchaus glaubhaft beschreibt Paul Alexandre Modiglianis Arbeitsweise als Bildhauer: »Er machte lange Zeit nur Entwürfe und nahm dann direkt den Block in Angriff. Unterlief ihm ein Fehler, nahm er einen anderen Block und fing von neuem an. Beim Grobbehauen arbeitete er sich wund und geriet in Wut. Sein Wunschtraum war es, einen Handwerker bezahlen zu können, der ihm das Grobbehauen des Blocks abnahm. Schließlich gab er die Skulptur wegen der großen körperlichen Anstrengung beim direkten Behauen auf.«[63] Modigliani arbeitete schnell. Für die langwierige, sich nur langsam vorantastende und beschwerliche Arbeit der Steinbildhauerei hatte er letztlich nicht das Temperament, die körperliche Konstitution und die Geduld. Auch in Hinblick auf die Glanzpunkte seines bildhauerischen Werks gilt so, wenn auch in anderer Weise als für Brancusi selbst, dessen Äußerung »un vrai artiste fait des choses malgré lui«.[64]

1 »Was Modigliani anbelangt, so habe ich ihn 1907 just in der Rue du Delta zum ersten Mal getroffen, und dort habe ich ihm auch wenig später Brancusi vorgestellt«, Erinnerungen von Paul Alexandre, zit. nach Noël Alexandre, *Der unbekannte Modigliani. Unveröffentlichte Zeichnungen, Papiere und Dokumente aus der ehemaligen Sammlung Paul Alexandre*, Übers. aus dem Französischen von Silvia Porsche, München / Stuttgart 1993, S. 43. Zu Brancusi und Modigliani allgemein vgl. Sanda Miller, *Constantin Brancusi. A Survey of his Work*, Oxford 1995, S. 123–141; Doïna Lemny, »Modigliani: L'expérience de la sculpture auprès de Brancusi«, in: *Revue Roumaine d'Histoire de l'Art, Série Beaux-Arts* 52, 2015, S. 111–117.

2 Zum Salon von Madame Léone Ricou vgl. George Opresco, »Un chapitre peu connu de la vie sociale et artistique du Paris de la ›Belle Époque‹«, in: *Gazette des Beaux-Arts* 70, 1967, S. 121–124. Madame Ricou besaß drei Skulpturen Brancusis, darunter eine *Maïastra* in polierter Bronze und einen *Kuss* sowie ein von Modigliani gemaltes Porträt von ihr selbst, ebd., S. 124.

3 Modiglianis Tochter Jeanne liefert mehrere Belege für Modiglianis »great ambition … to be a sculptor« und dafür, dass dieser Impuls »first came to him in Italy as early as 1902 and not in Paris in 1908«, Jeanne Modigliani, *Modigliani. Man and Myth – Biography and Works of Italian Painter and Sculptor Amedeo Modigliani,* aus dem Italienischen von Esther Rowland Clifford, New York 1958, S. 32. Auch Opresco betont, dass Modigliani als Bildhauer nach Paris kam und ihn Brancusi in Bildhauerei unterrichtete: »Modigliani, presqu'un adolescent à son arrivée à Paris, riche, beau comme un jeune dieu, était venu comme sculpteur et non pas comme peintre. Connaissant Brancusi et sa réputation, il lui demanda, ou Brâncusi lui offrit, des leçons qui, avec le temps, s'accompagnèrent de leçons de dessin«. Wie weit Oprescos Meinung zutrifft, dass Modigliani seine »véritable mode d'expression« u. a. auch Brancusis »dessin ferme, souple et simple« verdankt, sei dahingestellt. Opresco 1967, S. 122 f.

4 Amedeo Modigliani, *Porträt Brancusi*, 1911 (Christian Parisot, *Modigliani. Catalogue raisonné*, Livorno 1991, Kat. 14/1911).Die Aufschrift »Après« und »Livorno« findet sich im unteren linken Eck. Die ähnlich wie »Livorno« mit untereinandergestaffelten Buchstaben angebrachte Aufschrift »Brancusi« findet sich auf der Höhe des Mundes am rechten Rand, der darunter angebrachte Schriftzug ist für mich nicht lesbar.

5 Vgl. Kat. 304, 314 und 354 in Alexandre 1993. Die dunkle ovale Umfassung in diesen Tuschzeichnungen wäre so als ein Gestaltungsmittel zu verstehen, das der dunklen Konturierung in Modiglianis Strichzeichnungen entspricht.

6 Ilja Ehrenburg, zit. nach Werner Schmalenbach, *Amedeo Modigliani. Malerei, Skulpturen, Zeichnungen*, München 1991, S. 191.

7 Ich kann Doïna Lemny nicht darin folgen, auch in dem Cellospieler

der Vorderseite dieses Gemäldes eine Darstellung Brancusis zu sehen, siehe Lemny 2015, S. 114 f.

8 Reproduziert als Abb. 5.2 in: *Afrique aux origines de l'art moderne*, hg. von Ezio Bassani (Ausst.-Kat. GAM Galleria d'arte moderna Turin), Florenz 2004.

9 Vgl. Philippe Dagen, »L'Exemple égyptien: Matisse, Derain et Picasso entre fauvisme et cubisme (1905–1908)«, in: *Bulletin de la Société de l'Histoire de l'Art Français* 1984, S. 289–302. Derain war einer der Künstler, die sich 1911 ins Gästebuch der Ausstellung von Modigliani und Souza-Cardoso in dessen Atelier eintrugen, siehe *Amadeo de Souza-Cardoso. Diálogo de Vanguardas*, hg. von Helena de Freitas u. a. (Ausst.-Kat. Centro de Arte Moderna José de Azeredo Perdigão, Fundação Calouste Gulbenkian Lissabon), Lissabon 2006, S. 508.

10 Vgl. Sidney Geist, »Brancusi«, in: William Rubin (Hg.), *»Primitivism« in 20th Century Art. Affinity of the Tribal and the Modern*, New York 1984, Bd. 2, S. 345.

11 Peter Neagoe, *The Saint of Montparnasse. A Novel Based on the Life of Constantin Brancusi*, Philadelphia / New York 1965, S. 128 f.; zu Brancusi und archaischer griechischer Skulptur ebd., S. 95.

12 Zu einem Vergleichspaar von Abbildungen siehe Schmalenbach 1991, S. 20.

13 Zu Brancusi und kykladischer Skulptur vgl. Friedrich Teja Bach, *Shaping the Beginning. Modern Artists and the Ancient Eastern Mediterranean*, Athen 2006, S. 96 f.; zu Modigliani und kykladischer Skulptur vgl. etwa Schmalenbach 1991, S. 20 und 26.

14 Zum Interesse Brancusis und Modiglianis an Buddhistischer Kunst und der der Khmer siehe Friedrich Teja Bach, *Constantin Brancusi. Metamorphosen plastischer Form*, Köln 1987, S. 376, Anm. 559; Alexandre 1993, S. 92, 189 und 238; Margit Rowell, »Brancusi: Timelessness in a Modern Mode«, in: Friedrich Teja Bach u. a. (Hg.), *Constantin Brancusi, 1876–1957*, Cambridge, MA / London 1995, S. 42–44. Vgl. Anm. 23.

15 Vgl. Yaëlle Biro, »Avant Charles Ratton. Commerce et diffusion des arts africains des années 1900 aux années 1920«, in: *Charles Ratton. L'Invention des Arts ›Primitifs‹*, Paris 2013, S. 43– 57. Zur Konstruktion des Primitiven oder des Primitivismus vgl. Bärbel Küster, *Matisse und Picasso als Kulturreisende. Primitivismus du Anthropologie um 1900*, Berlin 2003.

16 »›The true impact of this art [tribal art, African … and Oceanic]‹, Brancusi told Muensterberger, ›occurred in Paris, possibly first at Apollinaire's [or] at Matisse's studio‹«, Geist 1984, S. 348. Zur Zeit von Brancusis Aufenthalt in Wien im Jahr 1904 waren die Bestände des heutigen Weltmuseums, also auch die Sammlungen aus Subsahara-Afrika, Teil des Naturhistorischen Museums; erst in den 1920er-Jahren wurde die Ethnographische Sammlung zu einem eigenen Museum, freundliche Mitteilung von Ingrid Viehberger, Naturhistorisches Museum Wien, vom 25. März 2021.

17 Zur Datierung dieser Karyatiden auf 1914 bis 1926 bzw. 1915 bis 1943 ff. siehe Bach 1987, WVZ 119, 223 und 283.

18 Vgl. Bach 1987, S. 205.

19 Brancusi, zit. nach Geist 1984, S. 362.

20 Brancusi hatte sich 1894 an der Kunstgewerbeschule in Craiova eingeschrieben und wurde im August des folgenden Jahres in die Abteilung für Holzbildhauerei aufgenommen, Barbu Brezianu, *Brancusi en Roumanie*, Bukarest 1998, S. 16. Das *Porträt von Gheorghe Chitu* datiert von 1898, *Der Erste Schritt*, seine früheste Skulptur in Holz, datiert von 1912/13: Die Zeitdifferenz zwischen beiden Werken ist der wohl deutlichste Hinweis darauf, dass Brancusis Holzskulpturen nicht direkt an seine frühe Beschäftigung mit Holz als Werkstoff anschließen.

21 »After the frank Africanizing of his [Brancusi's] first wood carvings, it is an essential abstractness that is awakened in him by tribal art«, Geist 1984, S. 362.

22 Biro 2013, S. 55 reproduziert ein Foto von Charles Sheeler aus dem Jahr 1919, das den *Verlorenen Sohn* zusammen mit zwei Figuren eines Reliquiars der Fang auf dem Kaminsims im Apartment von Louise und Walter Arensberg zeigt.

23 »Modigliani führte mich in die afrikanische Kunst ein und keineswegs umgekehrt. Er nahm mich zum Museum am Trocadéro mit, wo er sich tatsächlich für die Angkor-Ausstellung im westlichen Flügel begeisterte«, Alexandre 1993, S. 67; vgl. auch Curt Stoermer, »Erinnerung an Modigliani«, in: *Der Querschnitt* 11, 6, Juni, 1931, S. 389.

24 Brancusis *Unendliche Säule* ist erst 1918 datiert. Auch eine Vorform wie die Säule in *L'Enfant au monde, groupe mobile* (1917) könnte frühestens auf 1914 datiert werden. Zudem gibt der Streifen am rechten Rand des Bildnisses von Alexandre ja keinen Körper wieder, sondern ein schwarzes Zackenmuster (mit der gleichen Farbigkeit inner- wie außerhalb der Zacken) sowie diese links und rechts begleitende vertikale schwarze Linien. Es handelt sich dabei wohl um einen Wandbehang (oder zumindest einen Teil davon) marokkanischer Berber im Besitz von Dr. Alexandre. »According to Mme Bréfort«, der Tochter von Dr. Alexandre, »it is very possible that, to paint the vertical band and the motif on it, Modigliani was inspired by a hanging or drape of Maroccan or African origin which was in the house where Dr. Alexandre was living at the time when Modigliani did his portrait«, Geist 1984, S. 356. Geists These (S. 357), das Motiv dieses Wandbehangs »may, therefore, well be the germ of [the] *Endless Column*«, vermag ich nicht zu folgen. Neben einem Beni Ourain kommt vor allem auch der Typ eines Gewebebandes in Frage, wie es (in horizontaler Anordnung) im Hintergrund einer Fotografie von Jeanne Hébuterne zu sehen ist (Abb. S. 206). Bisher konnten diese Textilien leider nicht identifiziert werden. Sollte das fragliche Porträt von Paul Alexandre ein solches Band zeigen, hätte es Modigliani stark abstrahiert dargestellt.

25 Alan G. Wilkinson, »Paris and London. Modigliani, Lipchitz, Epstein and Gaudier-Brzeska«, in: Rubin 1984, Bd. 2, S. 420 f.

26 Zu diesen Zeichnungen des Kupferstichkabinetts Basel vgl. Wilkinson 1984, S. 421; Mason Klein, »Modigliani against the grain«, in: *Modigliani. Beyond the Myth*, hg. von Mason Klein (Ausst.-Kat. The Jewish Museum New York), New York 2004, S. 167.

27 Vgl. etwa Dagen 1984, S. 289–302.

28 Zu dem von Cecilia Cutzesco-Storck überlieferten Interesse Brancusis an ägyptischer »monumentalité, leur puissance d'abstraction et de synthèse« siehe Barbu Brezianu, »Pages inédites de la correspondance de Brancusi«, in: *Revue Roumaine d'Histoire de l'Art* 1964, 1, 2, S. 398, Anm. 21. Anders als etwa im Falle der afrikanischen Kunst schätzte Brancusi ägyptische Kunst dann ja auch noch. in späteren Jahren: 1938 besuchte er Ägypten und äußerte sich noch im November 1952 begeistert über die Große Sphinx: »È il più magnifico monumento che esista, grande come una casa, ma questo non importa, quel che conta sono le proporzioni, il numero nascosto«, Göran Schildt, »Colloqui con Brancusi«, in: *La Biennale di Venezia*, 8, 32, Juli–September 1958, S. 25.

29 Rowell 1995, S. 41.

30 Anna Achmatowa, *Poem ohne Held*, zit. nach Schmalenbach 1991, S. 184.

31 Vgl. Edith Balas, »The Art of Egypt as Modigliani's stylistic Source«, in: *Gazette des Beaux-Arts*, 123, 97, Februar 1981, S. 87–94 und ebd., Abb. 1 und 2.

32 Henri Matisse, *Écrits et propos sur l'art*, hg. und bearb. von Dominique Fourcade, Paris 1972, S. 121.

33 Guillaume Apollinaire, zit. nach Hajo Düchting (Hg.), *Apollinaire zur Kunst. Texte und Kritiken, 1905–1918*, Köln 1989, S. 175.

34 Küster 2003, S. 82. Zur zeitgenössischen Verbreitung eines solchen komparatistischen Ansatzes vgl. ebd., S. 94 ff.

35 Der *Mädchenkopf* wurde als Abb. 42 publiziert in: *This Quarter*, 1925. Die Bildunterschrift lautete: »Première pierre directe, 190«, vgl. dazu Bach 1987, WVZ 78.

36 Abgebildet in *La Dation Brancusi, dessins et archives*, hg. von Marielle Tabart und Doina Lemny (Ausst.-Kat. Centre Pompidou Paris), Paris 2003, S. 93.

37 Zur Aktualität des »Großen Weiblichen« in der Skulptur der klassischen Moderne vgl. Friedrich Teja Bach, »Giacomettis ›Grande Figure Abstraite‹ und seine Platz-Projekte. Überlegungen zum Verhältnis von Betrachter und Figur«, in: *Pantheon* 38, 3, Juli–September 1980, S. 271 f.

38 Zu den im Allgemeinen geometrisch strengeren Zeichnungen männlicher Karyatiden oder Atlanten Modiglianis vgl. Alexandre 1993, S. 192 und Abb. 135–140.

39 Zu Modigliani und dem Thema des weiblichen Aktes vgl. Griselda Pollock, »Modigliani and the Bodies of Art. Carnality, Attentiveness, and the Modernist Struggle«, in: Klein 2004, S. 55–73.

40 Zu Brancusis Tempelprojekt vgl. Bach 1991, S. 91–97.

41 Zu Modiglianis Tempelidee vgl. Alfred Werner, *Modigliani, der Bildhauer*, bearb. von Peter Dietschi, Genf u. a. 1962, S. 42.

42 Zu Brancusi und Esoterik vgl. Bach 1987, S. 141–208.

43 Gotthart Jedlicka, *Modigliani, 1884–1920*, Erlenbach, ZH 1953, S. 38; vgl. auch Bach 1987, S. 373, Anm. 473.

44 Zum jüdischen Hintergrund der Familie Modiglianis und der Bedeutung der Lehren des Rabbi Elia Benamozegh für den religiösen Humanismus der sephardischen Juden Livornos siehe Klein 2004, S. 4–6.

45 So stellte Modigliani etwa auf einem mit »Venus« beschrifteten Frauenbildnis (1909/10) »die alchimistischen Symbole für Merkur, Venus und Salz dar«, Alexandre 1993, S. 93.

46 »Ainsi que le serpent se glisse hors de sa peau ainsi tu te délivreras du péché ☿. l'équilibre par les excès contraires △. l'homme considere sous trois aspects ✡. Aour!«, Alexandre 1993, S. 9; vgl. auch Klein 2004, S. 14 f.

47 Vgl. Bach 1987, S. 144.

48 Die an »Monsieur / Constantine Brancusi, sculpteur / 54 A. du Montparnasse / Paris« adressierte Karte mit dem Text »Mon vieux Branc / Dans un moi je vais revenir / à bientôt donc / et avec impatience le plaisir de / te recauser / ami Modigliani« ist publiziert in: Marielle Tabart, *L'Atelier Brancusi. La Collection*, Paris 1997, S. 227. Vgl. die Bemerkung Paul Alexandres, dass Modigliani »von einer seiner beiden Italienreisen Photographien vom Camposanto in Pisa mitbrachte, weil er den Friedhof sehr bewunderte«, Alexandre 1993, S. 67.

49 »Mais on peut dire que la géométrie est aux arts plastiques ce que la grammaire est à l'art de l'écrivain«, Guillaume Apollinaire, »La Peinture Nouvelle«, in: *Les Soirées de Paris* 1, 3, 1912, S. 90.

50 »His manner of drawing was also peculiar. He used to draw from life. On thin paper, but before the sheet was quite finished he put a second sheet, covered by graphite paper, underneath and on it traced the original drawing in a very simplified way«, Ludwig Meidner, »The Young Modigliani: Some Memories«, in: *The Burlington Magazine* 82, 981, April 1943, S. 88.

51 »Le Beaux c'est l'armonie des diferants choses contraires [sic]«, Brancusi, zit. nach Ausst.-Kat. Paris 2003, S. 93.

52 Vgl. Anm. 46.

53 Schmalenbach 1991, S. 23.

54 Walter Benjamin, *Gesammelte Schriften*, Bd. 1,2, hg. von Rolf Tiedemann und Hermann Schweppenhäuser, Frankfurt am Main 1990, S. 661.

55 »L'art ne doit pas etre regarde comme une savoir fair – elle doit nous representer le beaux tel qu'il est dans son cadre et sa place [sic]«, Brancusi, in der originalen Schreibweise zit. nach Ausst.-Kat. Paris 2003, S. 92.

56 Vgl. Brancusis Feststellung von 1936: »My *Birds* are a series of different objects on a central research which remains the same«, zit. nach Athena C. Tacha, »Brancusi«, in: *The Art Journal* 22, 4, Sommer 1963, S. 241. Auf seinen *Vogel im Raum* angesprochen, antwortete Brancusi gegen Ende seines Lebens: »That is my ›Bird‹. I have been working at it for forty years. One day I shall reach figure-one with it and then it will be done«, zit. nach Russell W. Howe, »The Man who doesn't like Michelangelo«, in: *Apollo* 49, Mai 1949, S. 127. Vgl. Modiglianis Äußerung gegenüber Paul Alexandre vom 23. April 1913: »Die Erfüllung naht … ich werde ganz in Marmor arbeiten« (Alexandre 1993, S. 237) und Paul Alexandres Bemerkung zu diesem Thema: »Sein ganzes Leben lang suchte Modigliani nach einer endgültigen Form, die er, wie ich glaube, niemals erreichte« (ebd.).

57 In Freitas 2006, S. 440 findet sich für das Jahr 1909 die Eintragung: »It was during this year that Amadeo would meet his closest artistic friend, Amedeo Modigliani«. Brancusi besaß ein gewidmetes Exemplar von Souza-Cardosos Katalog *XX dessins*, siehe Tabart 1997, S. 245.

58 In einem Interview von 1970 berichtete Domingos Rebelo: »L'atelier d'Amadeo de Souza-Cardoso … devint notre centre de réunions … Soucieux de donner à ces rencontres un certain niveau intellectuel et artistique, nous convînmes de traiter chaque semaine un sujet original. Amadeo disserte sur ›La simplification décorative des hiéroglyphes et son influence dans l'art moderne‹«, zit. nach Paulo Ferreira, *Amadeo de Souza-Cardoso, peintre portugais, 1887–1918*, Paris 1995, S. 41.

59 Ian Shaw und Paul Nicholson (Hg.), *Reclams Lexikon des alten Ägypten*, übersetzt aus dem Englischen von Ingrid Rein und Marianne Schnittger, Stuttgart 1998, S. 123. Auf der Gardiner-Liste hat die Hieroglyphe des Horus-Auges die Nummer D10.

60 Vgl. in diesem Zusammenhang die These von Werner Spies und Carsten-Peter Warncke, die auch Picassos *Les Demoiselles d'Avignon* (1907) mit dem Topos von Zeuxis und den krotonischen Jungfrauen in Verbindung bringen, *Pablo Picasso. Sammlung Marina Picasso*, hg. von Werner Spies (Ausst.-Kat. Haus der Kunst München u. a.), München 1981, S. 23; Carsten-Peter Warncke, *Pablo Picasso, 1881–1973*, Bd. 1, Köln 1991, S. 162.

61 »He [Brancusi] would exclaim against café life and say that one lost one's force there«, Jacob Epstein, *Let there be Sculpture. An Autobiography*, London 1940, S. 63.

62 »J'aime beaucoup cet homme-là et salue-le de ma part si tu le vois«, Modigliani, zit. nach Alexandre 1993, S. 94.

63 Alexandre 1993, S. 65.

64 Ausst.-Kat. Paris 2003, S. 94.

Abb. 27 | Fotografie der ersten Ausstellung von Amedeo Modiglianis Köpfen im Atelier des Malers Amadeo de Souza-Cardoso, 1911

KATALOG

Marc Restellini

modigliani

Die Geburt der Karyatide: die Vereinfachung des Sujets

Wenngleich man Primitivismen heute als einen Komplex von Einflüssen auf Teile der westlichen Gesellschaft zwischen den 1850er- und den 1930er-Jahren versteht und auch wenn es sich empfiehlt, dieses Phänomen im Zusammenwirken einer Fülle von kontextuellen, sozialen, politischen und kulturellen Faktoren darzustellen, ist es doch schwierig, die Frage nach den primitivistischen Einflüssen auf einen Künstler zu beschränken, ohne den Schwerpunkt vornehmlich auf die Ästhetik und Formensprache zu legen. Mehrere Kriterien lassen sich dann formulieren: das rein visuelle Kriterium, das formale Aspekte, Sujet, Stil und Details betrifft; das emotionale Kriterium, das durch die Gefühle, die ein Werk hervorruft, die Einfühlung durch den Betrachter sowie die Ausdruckskraft des gemalten oder skulpturalen Bildwerks gekennzeichnet ist; und schließlich das soziale Kriterium im Zusammenhang mit dem Umfeld, das die primitivistischen Künstler teilten und das sich in der Malerei etwa in stilistischen Ähnlichkeiten zeigt. Müssten wir diese drei Untersuchungskriterien auf einen gemeinsamen ästhetischen Nenner bringen, würden wir uns eindeutig für die Vereinfachung des Sujets entscheiden.

Für den Kunsthistoriker und ersten Theoretiker des Primitivismus Robert Goldwater steht die Vereinfachung im Zentrum der Revolution der Kunst jenes Zeitraums. Sie resultiert aus dem Wunsch, sich den ästhetischen Normen jener Zeit zu widersetzen und aus dem Kunstwerk ein Mittel des reinen Ausdrucks zu machen, was mit mehreren Mitteln erreicht werden kann: eine Vereinfachung der Komposition und der Reduktion des Dargestellten auf ein absolutes Minimum. Goldwaters gravierender Irrtum bestand allerdings darin, dass er die Vereinfachung nicht im Zusammenhang mit den seinerzeit als »primitiv« angesehenen, außereuropäischen Künsten sah, die lediglich als Katalysator visueller Ideen fungiert hätten. Demzufolge wäre der Primitivismus nichts als eine vorübergehende Episode in der Entwicklung der Künstleridentität gewesen und die Einflüsse wären ab 1914 mit der zunehmenden Abkehr von der sogenannten »Stammeskunst« zu Ende gegangen. Goldwater täuschte sich in der Annahme, der Kontakt zwischen den europäischen Künstlergruppen zu Beginn des 20. Jahrhunderts und den Künsten Afrikas, Asien, Ozeaniens sowie Nord- und Südamerikas habe keine dauerhaften Spuren hinterlassen: Das künstlerische Schaffen Modiglianis bis zu seinem Tod im Jahr 1920 belegt das Gegenteil.

Bei Modigliani steht die Vereinfachung in direktem Zusammenhang mit dem, was häufig als »die Theorie der Maske« bezeichnet wird. Bereits vor seiner Entdeckung der außereuropäischen und antiken Kunst nehmen die Gemälde Modiglianis diese Vereinfachung durch eine fast maskenhafte Ausführung der Gesichter vorweg, wie etwa 1907/08 in dem *Akt mit Hut* oder in *Die Jüdin*. Die Vereinfachung kulminiert in den Karyatiden. Auf den Darstellungen weiblicher Trägerfiguren in der griechisch-römischen Antike basierend, handelt es sich bei der Karyatide um eine vertikale Figur, manchmal mit schlichtem frontal oder im Profil ausgeführtem Antlitz, sehr hieratisch und bewusst ausdruckslos: Es ist eine Maske, die die wahre Natur des Individuums verbirgt. Modigliani suchte danach, die ideale Figur zu finden, welche uns durch ihre Anonymität und Ausdruckslosigkeit den besten Einblick in einen Menschen erlaubt. Paul Alexandre spricht mit Bezug auf Modiglianis Werke ab 1907 davon: »Diese Zeichnungen sind innovativ, sie weisen eine Vereinfachung und eine Läuterung der Form auf. Deshalb vermochte die Kunst Afrikas, ihn so zu begeistern. Modigliani erschuf auf seine Art die Züge des menschlichen Antlitzes neu … Er verfolgte in allem die Vereinfachung der Linie und interessierte sich sehr dafür.«[1]

Die Vereinfachung betrifft als künstlerisches Gruppenphänomen auch Modiglianis Zeitgenossen: Haben die Künstler der zweiten Hälfte des 19. Jahrhunderts bereits an einer Vereinfachung der Werke gearbeitet, so waren die primitivistischen Künstler alle davon beeinflusst. Große Flexibilität erlaubte es jedem Künstler, seine eigene Vorstellung von Vereinfachung umzusetzen, ja man könnte fast sagen, dass die Künstler mit dieser Vereinfachung ihre Identität schufen. Modigliani gelangte auf diese Weise zur Karyatide, Pablo Picasso wurde nicht nur in seiner kubistischen Periode von verschiedenen primitivistischen Einflüssen geprägt, Constantin Brancusi schuf *Weisheit der Erde*, André Derain durchlief in der Vorkriegszeit eine durch Vereinfachung charakterisierte Periode der Rückkehr zum Klassizismus und so weiter. Dies gilt für die Skulptur ebenso wie für die Malerei. Die Vereinfachung macht das Konzept dieses Niederschlags außereuropäischer Künste auf die westliche Kunst am deutlichsten sichtbar, mit einem äußerst vereinfachten »primitiven Objekt«, das »sorgfältig depiliert, rasiert, entblößt und poliert« ist, wie es Georges Henri Rivière, Kurator am Musée d'Ethnographie du Trocadéro, ausdrückte.

Interessanterweise wurde die Vereinfachung – in noch stärkerem Maße in der Skulptur – ebenso durch die Kunst Afrikas, Ozeaniens und Amerikas inspiriert wie durch die antike Kunst des Mittelmeerraums. Im selben Zeitraum, in dem außereuropäische Kunsttraditionen aufgegriffen wurden, nahm auch die Inspiration durch die etruskische, ägyptische und griechische Kunst an Intensität deutlich zu. Während etwa bei Brancusi der ägyptische Einfluss unverkennbar ist (Abb. 13, S. 44), sind bei Picasso und Modigliani Einflüsse durch die Skulpturen des archaischen Griechenlands festzumachen (Abb. 1). Diese Periode bezeichneten Hellenismus-Experten zu Beginn des 20. Jahrhunderts als »primitivistisch«. So spricht etwa der Archäologe Waldemar Deonna vom »Primitivismus«, um damit die archaische griechische Kunst zu spezifizieren, in der er dieselben ästhetischen Prinzipien ausmacht wie die der Kunst »Ägyptens und des Orients«. Der Künstler lässt »die Körper in statuarischer Frontalität erstarren …er vereint in ein und demselben Wesen von vorne und im Profil gegebene Körperteile; um die Verkürzung zu vermeiden, ignoriert er die Perspektive, er bedient sich einer oberflächlichen Modellierung«.[2] Diese 1937 geäußerten Ansichten sind zwar von einer für

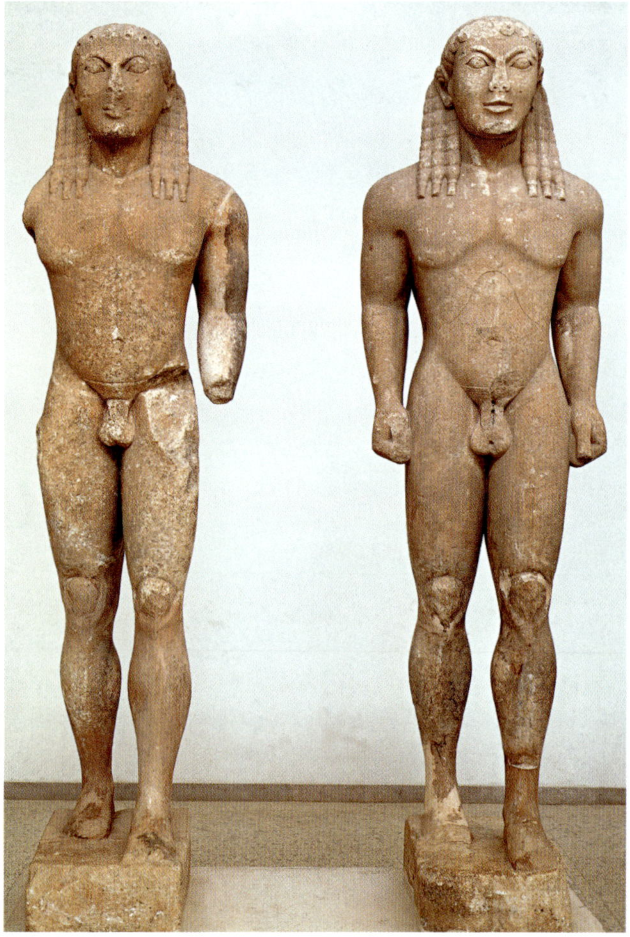

Abb. 1 | Cleobis und Biton, archaische Kouroï, um 580 v. Chr.
Archaeological Museum, Delphi

die damalige Zeit charakteristischen Herablassung gegenüber den »primitiven« Künsten durchdrungen, doch sie zeigen auch, dass die archaische griechische Kunst nun mit der außereuropäischen gleichgesetzt wurde. Die Kunst der Kykladen aus dem 2. Jahrtausend v. Chr. mutet – weil prähistorisch – umso »primitiver« an, da sie einem zivilisatorischen Entwicklungsstadium entspringt, das damals als fast genauso »primitiv« befunden wurde. Diese für jene Zeit charakteristische Herablassung und Verachtung im Umgang mit den sogenannten primitiven Künsten lassen sich auch gegenüber dem künstlerischen Prozess der Vereinfachung finden. Indem sie die außereuropäischen Künste nachahmten, setzten sich die Primitivisten dem Risiko der Ablehnung oder des Spotts aus. Für einige Künstler diente die Vereinfachung also dazu, sich zu positionieren, der vermehrte Einfluss dieser Künste auf die Darstellung von Körpern und Gesichtern war für den Künstler ein Mittel, die Partei des »Primitiven« zu ergreifen und sich einer außerhalb der modernen Welt angesiedelten Gemeinschaft anzuschließen.[3] Im Fall Modiglianis, der eine hohe Meinung von sich selbst und seinen künstlerischen Fähigkeiten hatte, ist diese Analyse umso zutreffender, als er eigentlich eine für Normalsterbliche kaum verständliche Botschaft vermitteln wollte. So schrieb er 1901 in einem Brief an seinen Freund Oscar Ghiglia, dass »wir [die Künstler] andere Rechte haben als normale Menschen, da wir andere Bedürfnisse haben, die uns über … ihre Moral erheben«.[4]

Die Rolle des »primitiven« Objekts in der Konzeption der westlichen Kunst bleibt auch unter Beachtung all dieser Kriterien nur schwer fassbar. Der Einfluss ästhetischer Eigenschaften kann sich ebenso in Form- oder Materialanleihen wie in einer wesentlich allgemeineren und diffuseren Nachahmung durch moderne Künstler manifestieren.[5] Die Vereinfachung ist also der gemeinsame Nenner all dieser primitivistischen Werke. Sie ist Resultat des bildnerischen Ausdrucks einerseits, der für die Schaffung eines Gesamtgefühls des Werks notwendig ist und einzelner Details andererseits, die in modernen Werken auf den Einfluss »primitiver« Kunst zurückgeführt werden können. Die Vereinfachung wird durch Techniken der Naturnachahmung erreicht und bedient sich dramatischer Sujets, die den »essentiellen Themen der Existenz« entspringen. Durch die Reduzierung des Sujets auf das Wesentliche wird der Betrachter des Werks mit einem unmittelbaren Bild konfrontiert, mit einem verknappten Raum, in dem nur noch die »symbolische« Qualität der Figuren in Erscheinung tritt. Letztere helfen der Intensivierung des Bildes, in dem die psychische Distanz zwischen dem Werk und dem Betrachter so weit wie möglich verringert wird. Angesichts einer einzigen Handlung, einer einzigen dargestellten Person, die das Werk beherrscht, begegnet der Blick dem Wesentlichen.[6] Dieser Werkauffassung wird Modigliani bis an sein Lebensende anhängen: Wiederholtes Sujet war ihm die vertikale, statische, nahezu unbewegliche Figur. Sie findet man ab 1907/08 in seinen Karyatiden und auch noch in seinen Porträts mit einer einzelnen, ruhenden, zentralen Figur, die vom Bildvordergrund aus den Blick des Betrachters erwidert. Die jüngeren Studien zur Farbwahrnehmung und das *Eye-Tracking*, die Aufzeichnung der Blickbewegungen bei der Betrachtung von Gemälden Modiglianis, zeigen, dass die Aufmerksamkeit des Betrachters von der Mitte der Figuren gefesselt wird, also auf das einzigartige, zentrale und immer gleichbleibende Sujet des Werks gerichtet ist. Das Vorbild der vereinfachten außereuropäischen oder archaischen Figur durchzieht Modiglianis gesamtes künstlerisches Schaffen. Es durchläuft eine klare, lineare Entwicklung, die von der anonymen Figur der Karyatide bis zu der des zwar identifizierbaren, doch »primitivisierten« Porträts reicht. Das auf diese Weise dargestellte Sujet verwandelt sich im weiteren Verlauf von Modiglianis Œuvre in eine Maske oder einen Totem. Die verzerrte Wahrnehmung Goldwaters, der meinte, nach dem Ersten Weltkrieg hätten sich die Künstler für andere Formen von »Primitivismen« wie die volkstümliche Kunst oder jene von Geisteskranken oder Kindern interessiert, enthält dennoch etwas Wahres. Modigliani hielt als einziger an dieser Entwicklung der Vereinfachung der Figur fest. Picasso etwa hatte sich schon zu Beginn des Ersten Weltkriegs davon entfernt, obwohl er als zentrale Figur des »Primitivismus« angesehen wird.

1 Noël Alexandre, *Der unbekannte Modigliani. Unveröffentlichte Zeichnungen, Papiere und Dokumente aus der ehemaligen Sammlung Paul Alexandre*, aus dem Französischen von Silvia Porsche, München / Stuttgart 1993, S. 65.
2 Waldemar Deonna, »L'Évolution de l'art grec«, in: *Revue des études grecques*, 50, 238, Oktober–Dezember 1937, S. 496.
3 Philippe Dagen, *Primitivismes. Une invention moderne*, Paris 2019, S. 134.
4 Brief Nr. 5, in Ambrogio Ceroni, *Das gemalte Werk von Modigliani*, Kunstkreis Luzern 1970, S. 18.
5 Carlo Severi, »L'Empathie primitiviste«, in: *Images re-vues*, Sonderausgabe 1, 2008.
6 Ebd.

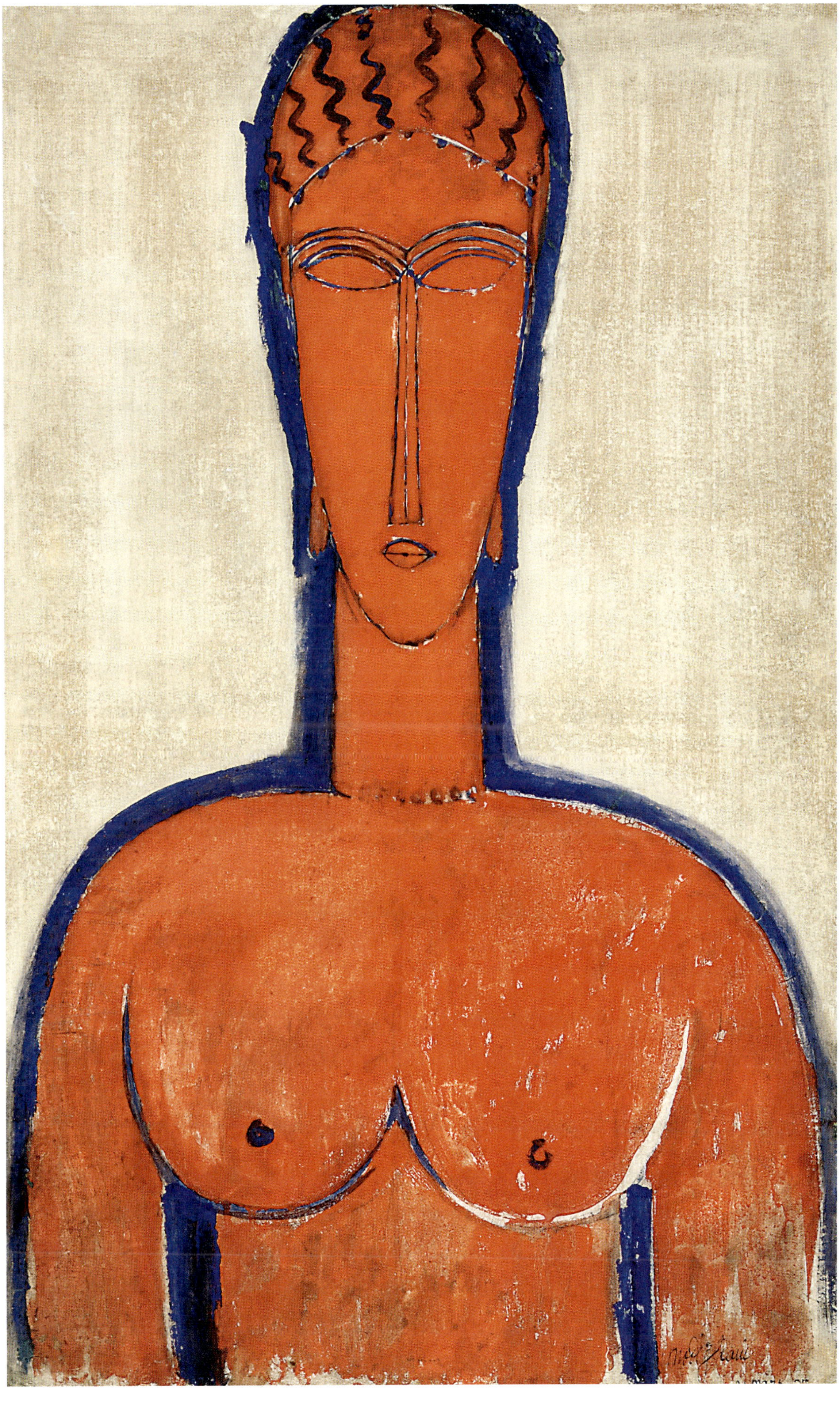

1 | Amedeo Modigliani
Große rote Büste, 1913
Privatsammlung

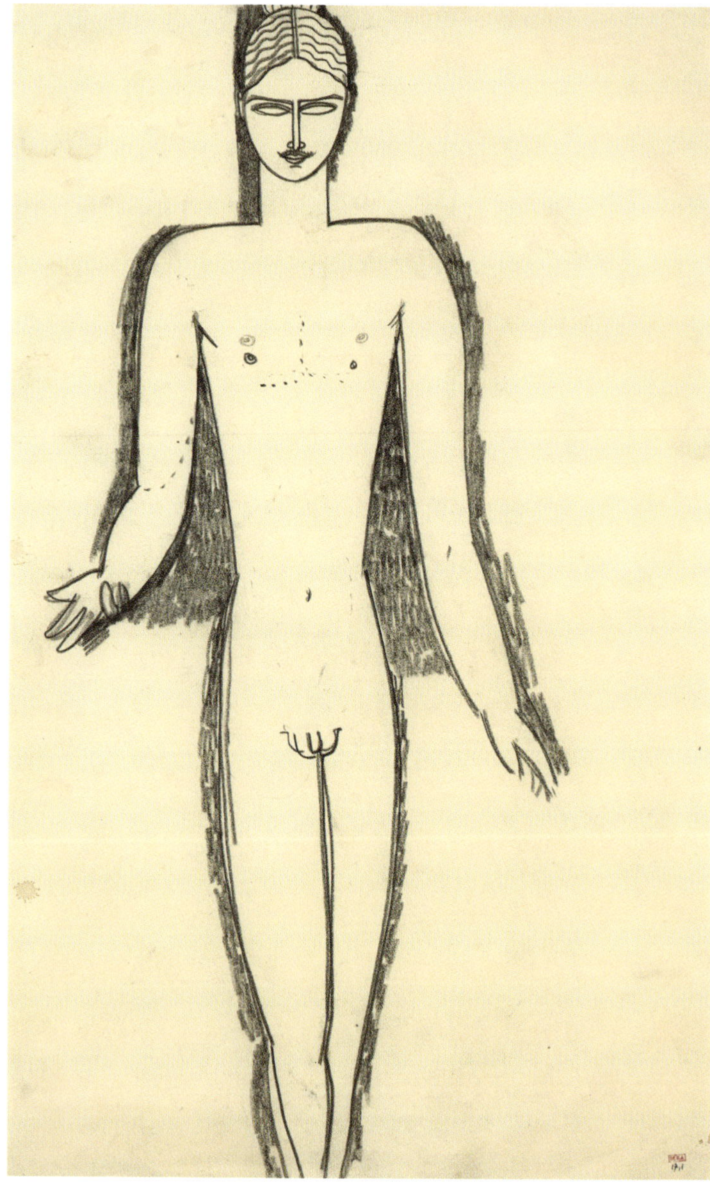

2 | **Weibliches Inselidol, frühkykladisch, 2800–2700 v. Chr.**
Skulpturensammlung, Staatliche Kunstsammlungen Dresden

3 | **Amedeo Modigliani**
***Männlicher Akt mit seitwärts ausgebreiteten Armen*, um 1911**
Paul Alexandre Family, courtesy of Nathanson Fine Art, London

4 | Amedeo Modigliani
Weiblicher Akt mit angewinkelten Armen und tätowiertem Gesicht, um 1911
Musée des Beaux-Arts, Rouen

5 | **Constantin Brancusi**
Weisheit der Erde, 1908
Sammlung David Grob

6 | Amedeo Modigliani
Kniende Karyatide (Anna Achmatowa?), 1911
Privatsammlung

7 | Constantin Brancusi
Der erste Schritt, um 1914
Sammlung David Grob

8 | Constantin Brancusi
Studie zu *Der erste Schritt*, 1913
Museum of Modern Art, New York.
Benjamin und David Scharps Fonds

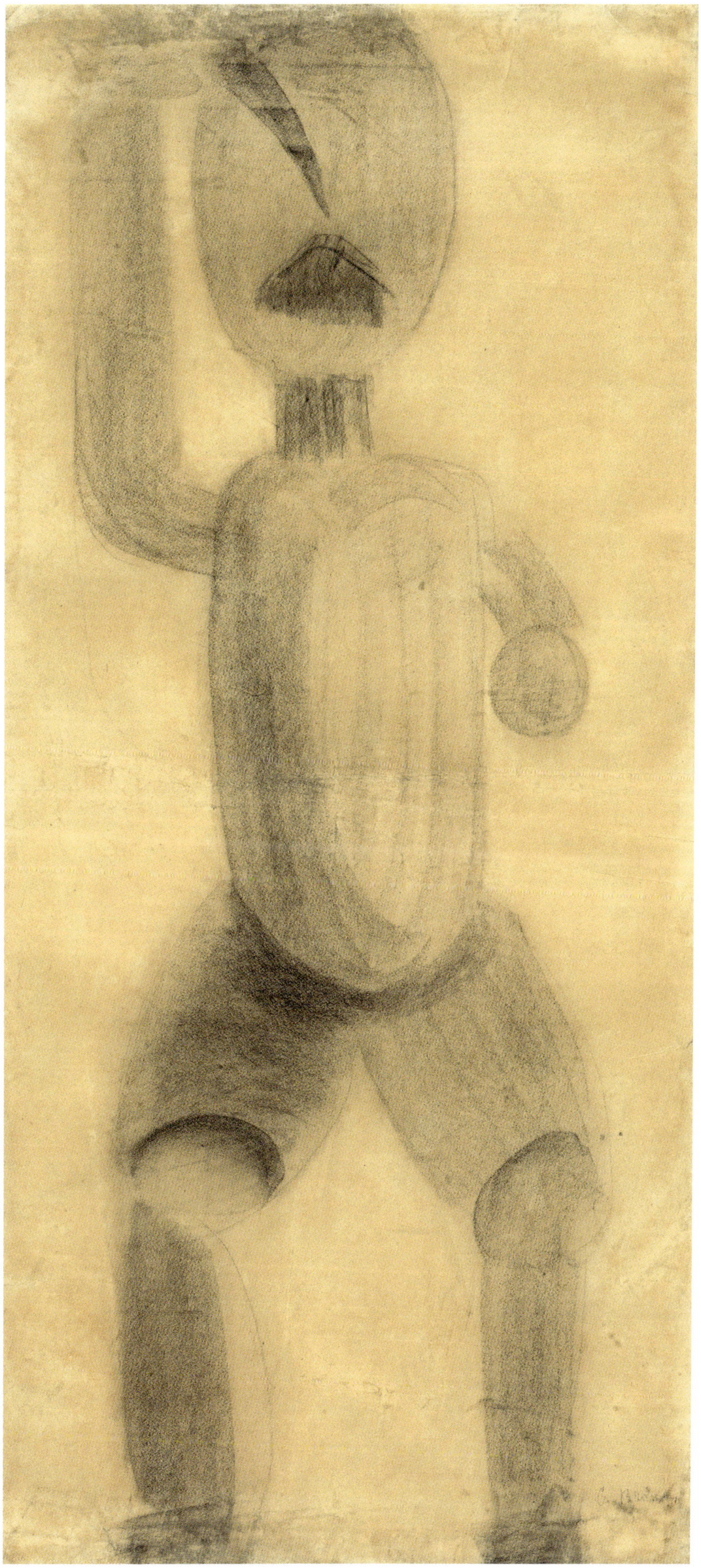

9 | **Pablo Picasso**
Sich schminkender Harlekin, 1905
Privatsammlung Marina
Ruiz-Picasso

10 | **Pablo Picasso**
Büste einer Frau (Fernande), 1906
Musée National Picasso-Paris

11 | Pablo Picasso
Junge in kurzer Hose, 1906
Privatsammlung, courtesy
Richard Nagy Ltd., London

12 | Pablo Picasso
Stehender weiblicher Akt,
Studie zu *Les Demoiselles d'Avignon*, 1906/07
Musée National Picasso-Paris

13 | **Amedeo Modigliani**
Chaïm Soutine, 1916
Stiftungsfonds Jonas Netter

14 | Amedeo Modigliani
Chaïm Soutine, 1916
Stiftungsfonds Jonas Netter

15 | Amedeo Modigliani
Moïse Kisling, 1916
Privatsammlung

16 | Amedeo Modigliani
Max Jacob, 1915
Privatsammlung

17 | **Amedeo Modigliani**
Max Jacob, um 1916/17
Cincinnati Art Museum, Ohio, USA. Schenkung Mary E. Johnston

18 | Amedeo Modigliani
Junge Frau im blauen Kleid, 1917
Privatsammlung

19 | **Amedeo Modigliani**
Porträt einer jungen Frau, um 1918
Musée des Beaux-Arts,
La Chaux-de-Fonds

20 | **Amedeo Modigliani**
Dame mit blauen Augen, um 1918
Musée d'Art Moderne de la Ville
de Paris, Legat Docteur Maurice
Girardin

Die Vereinfachung auf ein universelles Element: die tragende Struktur

Die zunehmende Vereinfachung und Reduzierung des Sujets mündete bei Modigliani in der Hervorbringung einer wesentlichen Form seines künstlerischen Œuvres, der Karyatide. Diese ist zum Teil das Ergebnis jener ästhetischen Revolution, die einerseits von der veränderten Behandlung der Werke und andererseits von einem neuen Blick auf die »schwarze Nacktheit« seit der Mitte des 19. Jahrhunderts geprägt wird. Mit dem zunehmenden Wissen über außereuropäische Zivilisationen, die als »primitiv« und als das Gegenteil der »modernen« westlichen Zivilisation galten, entstand im Zusammenhang mit neuen Theorien zur Hygiene und öffentlichen Moral auch die Vorstellung vom »Eingeborenen«, der sich durch beklagenswerte Sitten auszeichnet. Demnach kannten die »Primitiven« keine Tabus, lebten unbekleidet und in einer von abstoßender Freizügigkeit geprägten Kultur.[1] Ein Teil der westlichen Gesellschaft ergötzte sich an der Abscheu vor diesen »verdorbenen Gestalten«, deren berühmtestes Beispiel die zum Volk der Khoikhoi in Südafrika zählende »Hottentottenvenus« Saartjie Baartman war. Wegen ihres Fettsteißes wurde sie zu Beginn des 19. Jahrhunderts in ganz Europa herumgezeigt und nach ihrem Tod 1815 seziert, präpariert und wegen ihrer anatomischen Besonderheit zunächst im Jardin des Plantes, dem Botanischen Garten von Paris, und anschließend wie eine Statue im Musée d'Ethnographie du Trocadéro ausgestellt.[2] Das Europa der zweiten Hälfte des 19. Jahrhunderts sollte zur Bühne einer bildnerischen, aus dem Repertoire des »Primitiven« schöpfenden Entwicklung werden, um explizit sexuelle Werke zu schaffen, in denen sich all jene Wünsche und Triebe wiederfanden, welche die »moderne« Gesellschaft wegen ihrer Sozialmoral nicht anders thematisieren konnte. So setzten Künstler wie Gustav Klimt, Edvard Munch, Auguste Rodin, Egon Schiele oder Gustave Moreau weibliche Figuren in Szene, welche die Macht der Verlockung, der Verführung und der List verkörperten.[3]

Auch wenn kein Zweifel daran herrscht, dass Picasso, Matisse, Derain und Modigliani diese Vorstellung der »schwarzen Nacktheit« teilweise übernahmen, hat doch letzterer die weibliche Figur nie in rein erotischer oder sexueller Absicht gemalt oder gezeichnet. Die Entwicklung der Sujets war bei Modigliani hinreichend durchdacht und intellektualisiert, sodass seine Sicht der »schwarzen Nacktheit« weder rein ästhetischer noch rein konzeptioneller Natur war. Die Geburt der Karyatide basiert genau darauf. Gemäß den Thesen Robert Goldwaters war die Karyatide bereits für sich allein genommen ein geeignetes Mittel der »Primitivisten«, um zu einem expressiven Ausdruck in ihren Werken zu gelangen. Befreit von allen situations- oder umstandsbedingten Informationen, wurde dieses Sujet nicht mehr mit einem bestimmten Ort oder einer bestimmten Zeit in Verbindung gebracht.[4] Die Karyatide war nur noch Figur, ohne Persönlichkeit und ohne irgendwelche Besonderheiten außer ihrem Symbolcharakter. Sie übermittelt ein Bild, das aufgrund seiner psychologischen Beschaffenheit seine Intensität erhält: Sie ist anonym und unpersönlich und kann geradezu als das »Symbol« für den Einfluss außereuropäischer und archaischer Kunst auf die primitivistischen Künstler stehen.

Dieses Symbol wurde umso stärker, als es sich nicht auf seinen ästhetischen oder plastischen Aspekt beschränkt. Es stellt vielmehr ein sinnerfülltes Element dar, nämlich das universelle Element einer tragenden Struktur. Das Wort »Karyatide« ist ein Beispiel für einen jener europäischen Begriffe, die auf außereuropäische Künste angewandt wurden. Auf Vitruv und sein im 1. Jahrhundert n. Chr. verfasstes Werk *De architectura* zurückgehend, beschreibt er die weiblichen Figuren des Erechtheions in Athen (Abb. 1). Diese stellen laut Vitruv Frauen aus der Stadt Karya in Griechenland dar, die für ihr Bündnis mit den Persern während der Perserkriege bestraft wurden.[5] Auf Grundlage dieser Bestimmung ist die Karyatide neben ihrem männlichen Pendant, dem Atlanten, zum Symbol eines anthropomorphisierten tragenden Elements schlechthin geworden. Der Rückgriff auf die antiken Vorbilder in der Renaissance und dann im Klassizismus, Neoklassizismus und Eklektizismus des 19. Jahrhunderts hat diese Figuren, die man mit Säulen und Pilastern verbindet, noch populärer gemacht. So finden sie sich im Karyatidensaal des Louvre, aber auch noch an Gebäuden des späten 19. Jahrhunderts. Schließlich wurde der Begriff auf alle anthropomorphen, tragenden Figuren ausgeweitet, häufig

Abb. 1 | Karyatidenportikus des Erechtheions, Akropolis, Athen, um 421–406 v. Chr.

Abb. 2 | Louis Marie Joseph Delaporte, *Palast der Könige der Khmers, Angkor Thom*, Detail der Terrasse der Elephanten, um 1890
Aquarell und Bleistift auf Papier, 62 × 123 cm
Musée National des Arts Asiatiques – Guimet, Paris

auch auf andere große Bauten früherer Epochen. So werden etwa in der ostasiatischen Kunst die Wege und Terrassen der Tempel von Angkor von »Karyatiden« getragen (Abb. 2), in der präkolumbianischen Kunst kennt man die berühmten »Atlanten« der toltekischen Hauptstadt Tula in Mexiko, vor allem aber kennt man sie in der afrikanischen Kunst. In den traditionellen Künsten Afrikas südlich der Sahara erscheint sie allgemein im Bereich des Mobiliars und dient als Träger von Sitzflächen, Hockern und Nackenstützen (Kat. 24, 27). Aufgrund der Vorrangstellung der Frau in der zentralafrikanischen Mystik sind diese Figuren weiblich und werden wegen ihrer Nacktheit, ihrer Brüste und ihrer langen Haartracht ebenfalls als »Karyatiden« angesprochen.

Indem Modigliani seine weiblichen Figuren als »Karyatiden« bezeichnet, stellt er sich in diese Traditionslinie und bedient sich eines sehr wirkmächtigen Symbols, das nicht nur ein bildnerisches, sondern auch architektonisches Element darstellt. Indem es auf die griechisch-römische Antike zurückgeht und auf allen Kontinenten zu finden ist, hat dieses Symbol auch einen großen emotionalen Wert, da es aus der Ausstattung von Repräsentationsräumen entspringt. Modigliani befreit seine Kunst damit vom Inhalt, um ihr neue Kraft zu verleihen. Die Art der Darstellung des Torsos, ja selbst des Rumpfes und der Extremitäten lässt seine unpersönlichen anthropomorphen Figuren totemartig erscheinen. Modigliani sprach selbst von einem »Idol«. Davon zeugt der Titel eines nie identifizierten Werks, welches er 1908 auf dem Salon des Indépendants ausstellte.[6] Im Rahmen seiner künstlerischen Recherche fand er ein Bild, erfasste seine Kraft und konzentrierte sich auf das Wesentliche. Bei seinen Karyatiden beschränkte er sich nicht auf das Kopieren dieses oder jenes Details. Im Gegenteil – sie »aktivieren das Primitive« insgesamt, indem sie dessen äußere Zeichen aufgreifen.[7] Sie stehen am Ende einer Entwicklung und beruhen auf einer Aneignung von Zeichen, die bereits durch ein westliches Bezugssystem definiert worden sind. Sie sind »images métissées«, Mischwesen, entstanden dank der Einflüsse durch das »andere« einerseits und der neuen von Modigliani erfundenen Auffassung eines bildnerischen Werks andererseits.[8]

Die Karyatide ist ein sehr ausdrucksstarkes Symbol, das seinerzeit rasch mit den »primitiven« Künsten in Verbindung gebracht wurde. Neben anderen Künstlern versuchte auch Picasso sich in Malerei wie Plastik an diesem Motiv. Indem er durch eine Kombination aus Beobachtung, Erinnerung und Fantasie dieselbe Frontalität erzeugte wie bei einem Totem oder Fetisch, beschwor er die hieratische Kunst,[9] nahm aber letztlich rasch wieder Abstand davon. Die Figur der Karyatide erscheint wie ein soziales und kulturelles Symbol des Einflusses der außereuropäischen und archaischen Künste auf die primitivistischen Künstler. Modigliani machte mit seinen Karyatiden zwischen 1907 und 1911 eine intensive Entwicklungsperiode durch, bevor er 1911/12 begann, ihr äußeres Erscheinungsbild, nicht aber ihren Wesenskern, zu verändern. Die Steifheit ihrer Gliedmaßen wich sanfteren und gelösteren Posen, dennoch blieb der Künstler zutiefst beeinflusst von diesen anthropomorphen Figuren. 1913/14 fiel die Pose seiner Karyatiden dann rundlicher aus, die Hände sind hinter dem Kopf erhoben und die Beine gebeugt (Kat. 30–32, 34, 35). Seine großen Akte der Jahre 1917/18 weisen dieselben äußeren Merkmale auf und stellen mit ihrer vollkommenen Symbiose von Karyatiden und Einflüssen der italienischen Renaissance zugleich einen Höhepunkt von Modiglianis figurativer Gestaltung dar (Kat. 37–40).

1 Philippe Dagen, *Primitivismes. Une invention moderne*, Paris 2019, S. 162–163.
2 Vgl. die umfangreiche Literatur über die »Hottentottenvenus«.
3 Dagen 2019, S. 166.
4 Carlo Severi, »L'Empathie primitiviste«, in: *Images re-vues*, Sonderausgabe 1, 2008.
5 Marie-Nicolas Bouillet und André Chassang, *Dictionnaire universel d'histoire et de géographie*, Paris 1878, S. 349.
6 Société des artistes indépendants, Ausst.-Kat. der 24. Ausstellung 1908, S. 290.
7 Dagen 2019, S. 152.
8 Christine Marret, »Le Primitivisme moderne: appropriations, emprunts et détournements. »Les Carnets des Demoiselles d'Avignon«, in: *Genesis. Manuscrits – Recherche – Invention* 15, 2000, S. 30.
9 Ebd., S. 37.

21 | **Amedeo Modigliani**
Karyatide, 1913
Privatsammlung

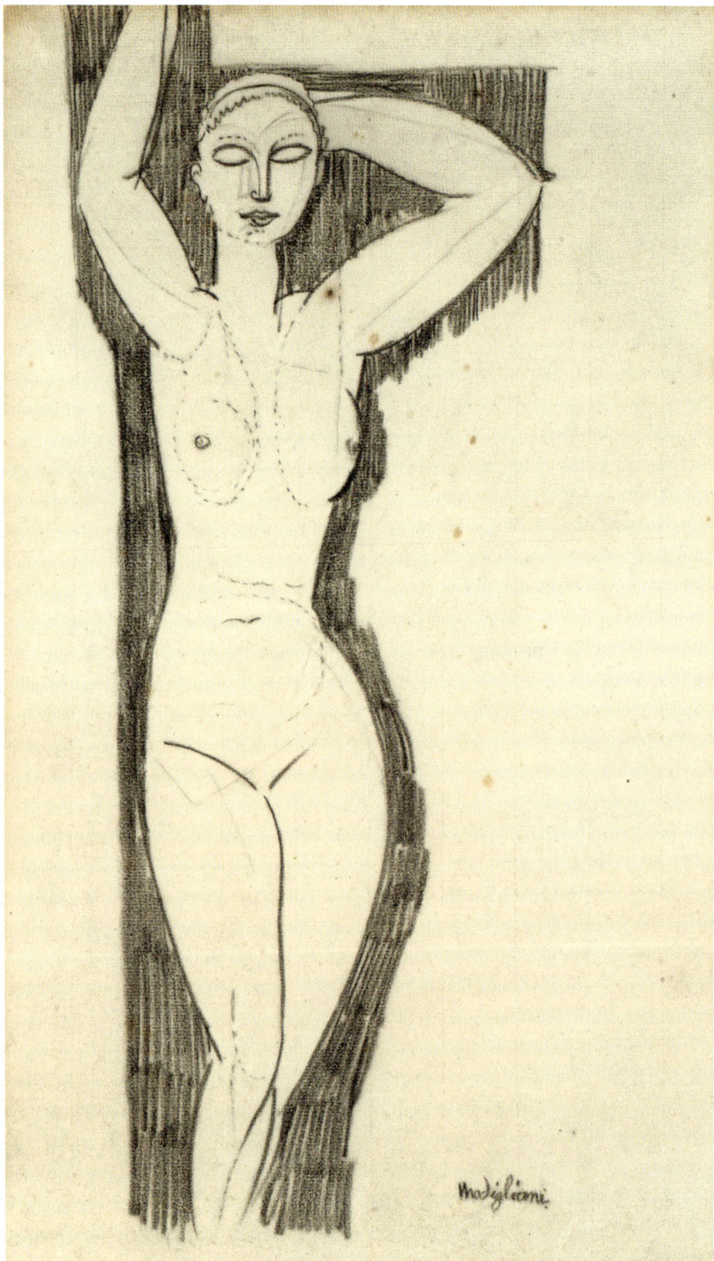

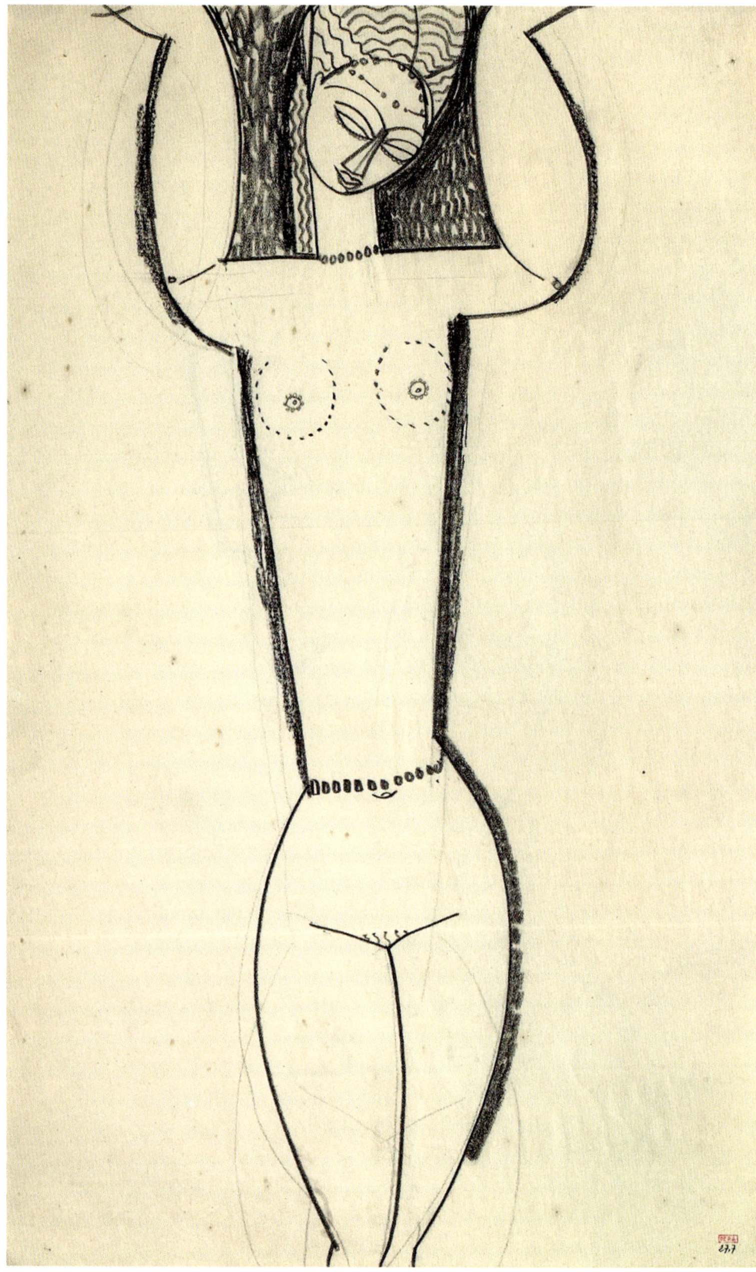

22 | **Amedeo Modigliani**
***Stehende Karyatide mit empor-gehobenen Armen*, um 1911/12**
Privatsammlung, Paris

23 | **Amedeo Modigliani**
***Karyatide mit Halskette und Perlengürtel*, 1911**
Musée des Beaux-Arts, Rouen

24 | **Karyatidenhocker, Luba, Katanga, Kongo, vor 1919**
Koninklijk Museum voor Midden-Afrika, Tervuren

25 | **Pablo Picasso**
Kleiner Akt in Rückenansicht mit emporgehobenen Armen, Studie zu *Les Demoiselles d'Avignon*, 1907
Musée National Picasso-Paris

26 | **Pablo Picasso**
Karyatide, 1908
Musée National Picasso-Paris

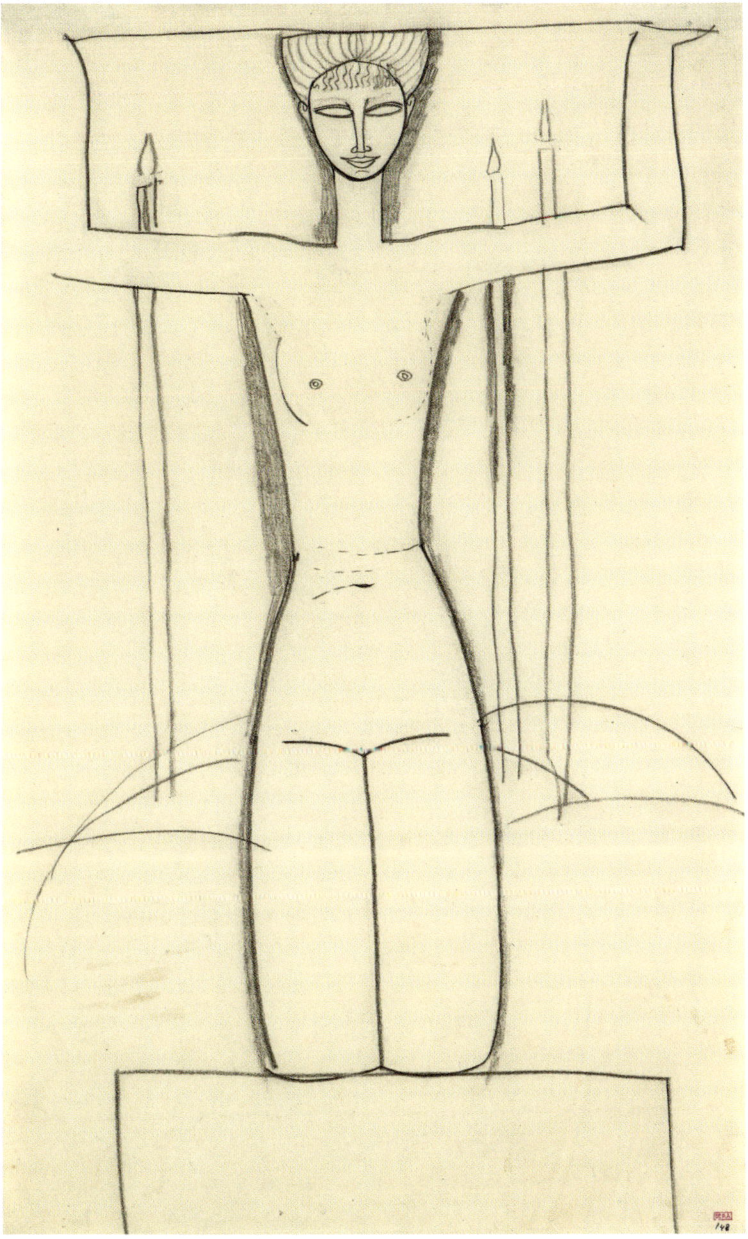

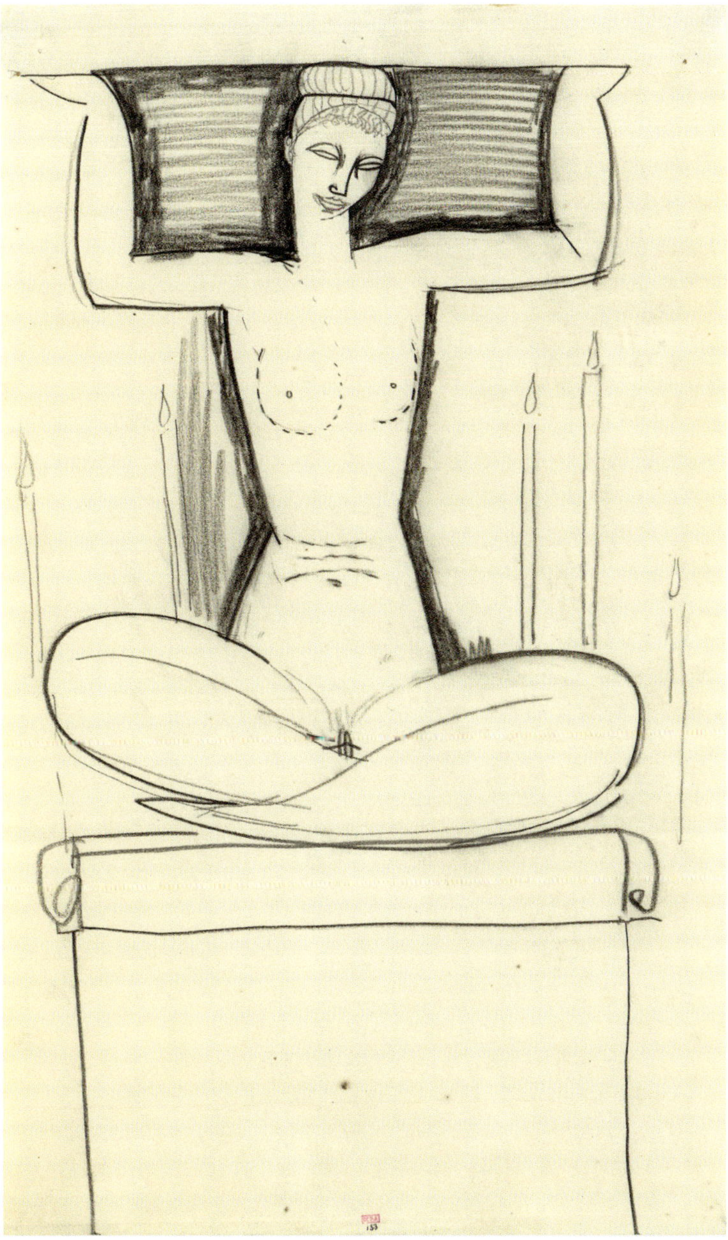

28 | **Amedeo Modigliani**
***Auf einem Sockel kniende Karyatide mit brennenden Kerzen*, um 1911**
Paul Alexandre Family, courtesy of Nathanson Fine Art, London

29 | **Amedeo Modigliani**
***Auf einem Sockel sitzende Karyatide mit brennenden Kerzen*, um 1911**
Privatsammlung

27 | **Karyatidenhocker, Luba, Katanga, Kongo, vor 1915**
Koninklijk Museum voor Midden-Afrika, Tervuren

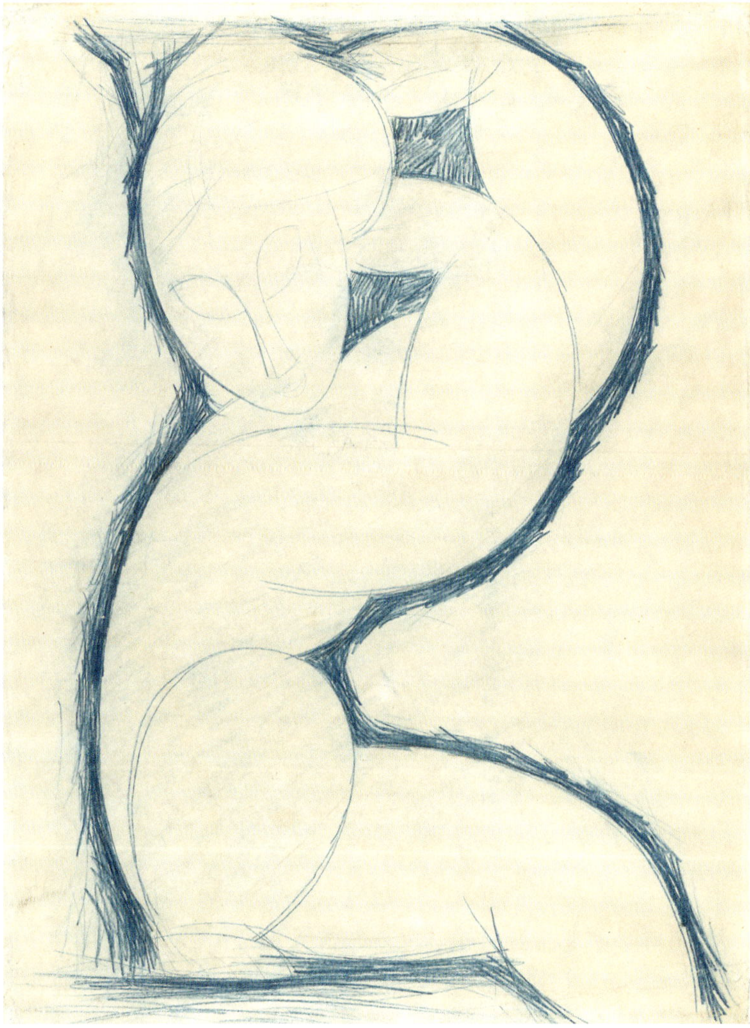

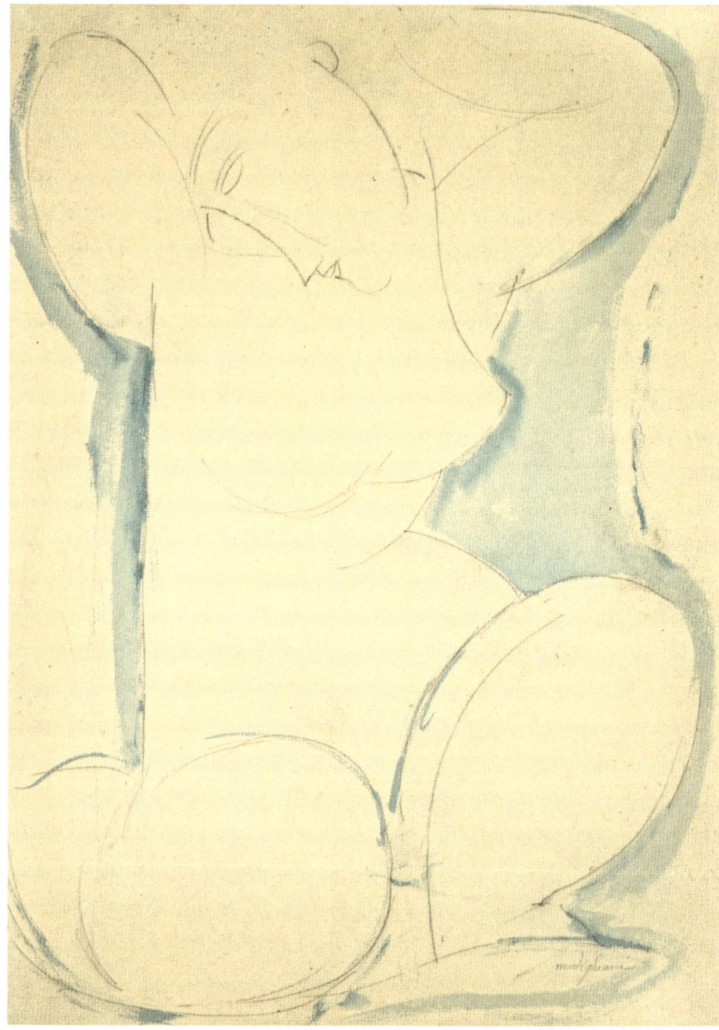

30 | **Amedeo Modigliani**
***Karyatide*, um 1912–1914**
Philadelphia Museum of Art. Sammlung Louise und Walter Arensberg

31 | **Amedeo Modigliani**
***Kniende Karyatide*, um 1914**
Privatsammlung, Paris

32 | **Amedeo Modigliani**
***Karyatide*, um 1913**
Stiftungsfonds Jonas Netter

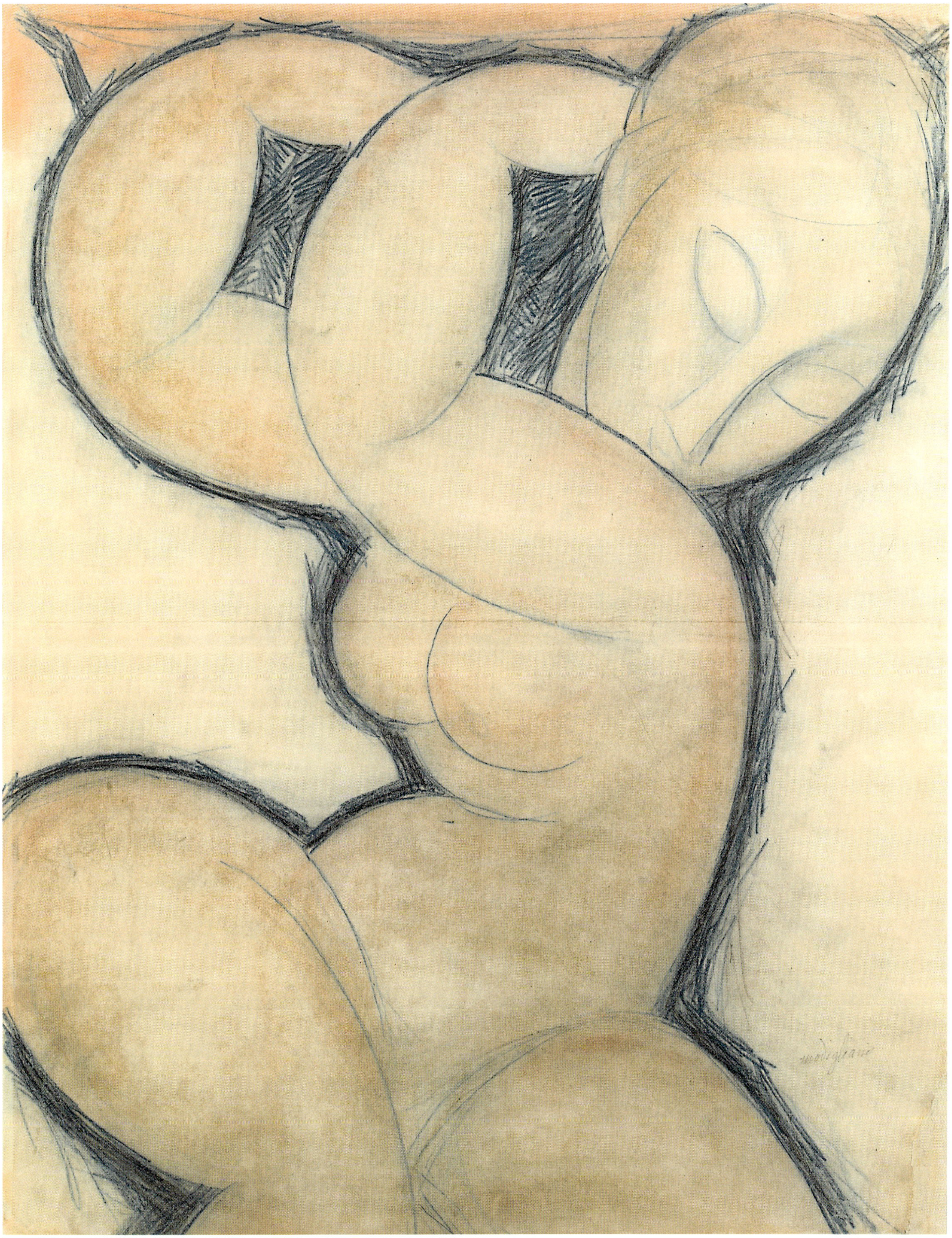

33 | Pablo Picasso
Akt mit emporgehobenen Armen,
Studie zu *Les Demoiselles d'Avignon*, 1907
Sainsbury Centre, University of East Anglia, Norwich

34 | Amedeo Modigliani
Rosa Karyatide, 1913
Sammlung Mr. und Mrs. James Rothschild

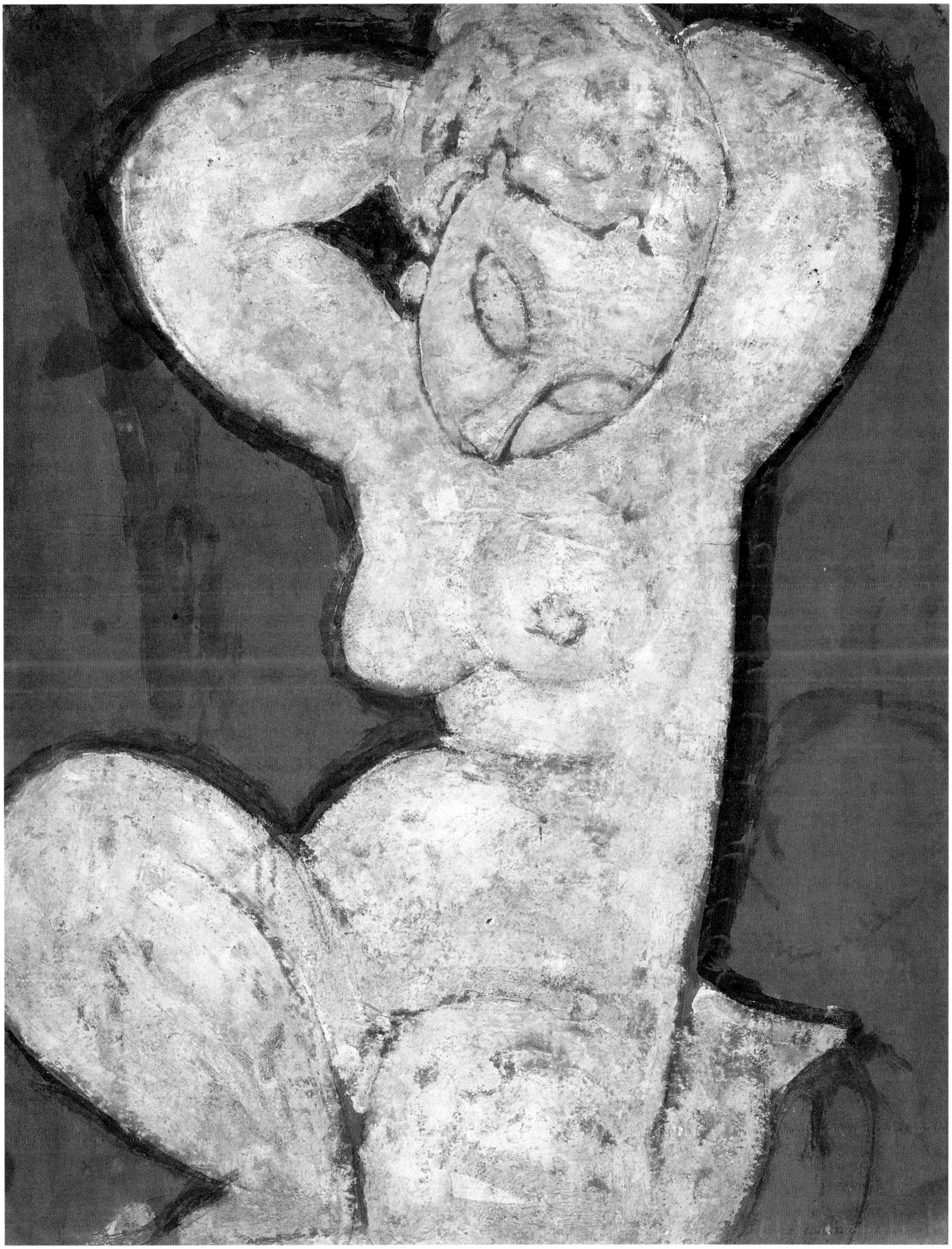

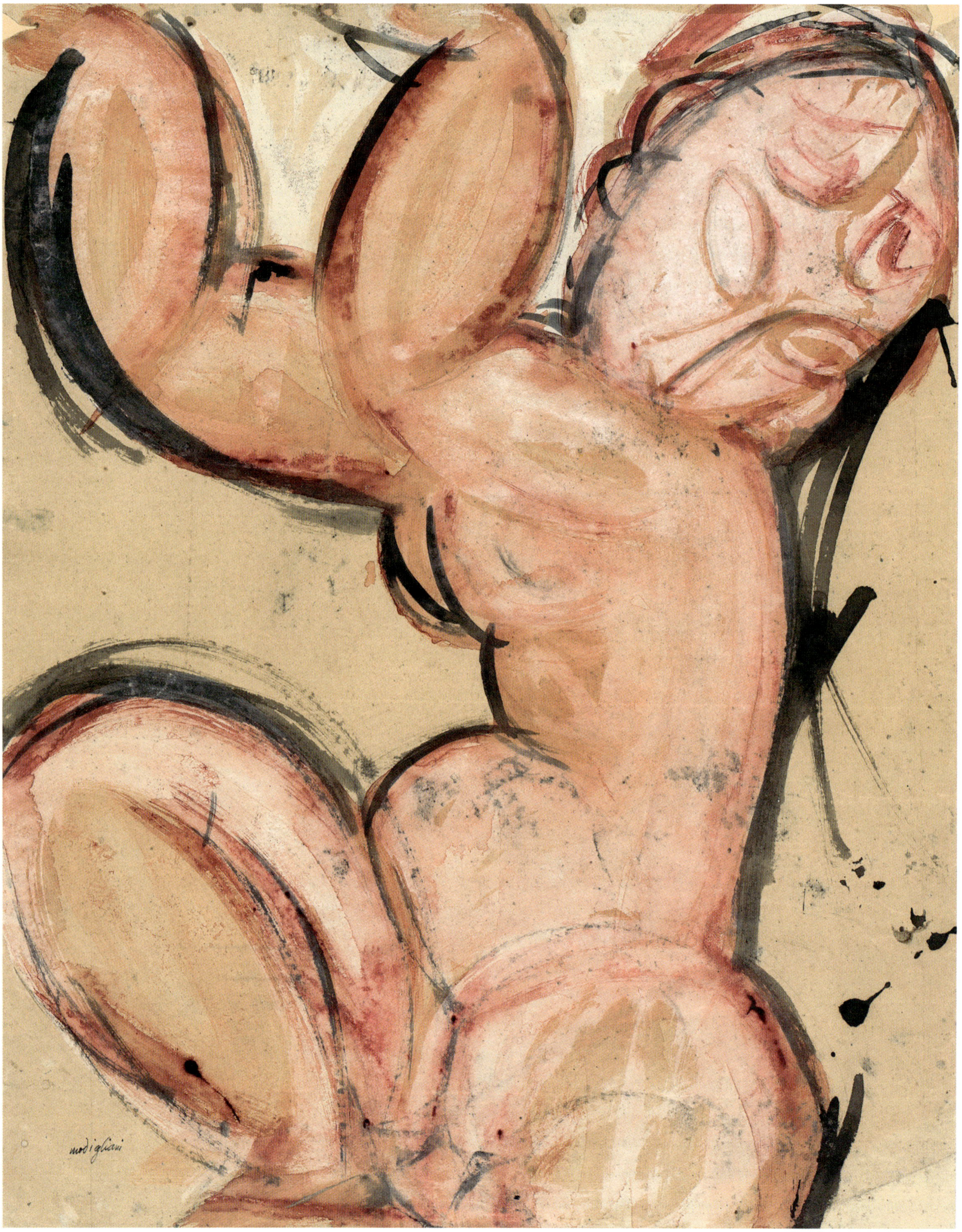

35 | Amedeo Modigliani
Karyatide, 1914
Museum of Modern Art, New York. Legat Mrs. Harriet H. Jonas

36 | Pablo Picasso
Studie zu *Stehender Akt,* 1908
Musée National Picasso-Paris

37 | Amedeo Modigliani
Liegender Akt (Lolotte), 1917/18
Privatsammlung

38 | **Amedeo Modigliani**
Liegender Akt, 1917
The Metropolitan Museum of Art, New York. Sammlung Mr. und Mrs. Klaus G. Perls

39 | Amedeo Modigliani
Liegender Akt, den rechten Arm hinter den Kopf gebeugt, 1919
Privatsammlung

40 | Amedeo Modigliani
Liegender Akt mit weißem Kissen, 1917
Staatsgalerie Stuttgart, erworben mit
Lotto-Mitteln

Die Intensivierung des Ausdrucks

Für Robert Goldwater diente die durch die Künstler der Moderne ausgelöste primitivistische Revolution einem einzigen Zweck, nämlich der Steigerung des Ausdrucks. Die bildnerische Vereinfachung, Reduzierung des Dargestellten, die Suche nach einem Thema und die Schaffung von Symbolen sind insgesamt lediglich ein Vorspiel für die Intensivierung des Ausdrucks. Wie Goldwater betont, geschieht dies durch die im Kunstwerk ausgedrückte Empfindung und nicht durch eine Aneinanderreihung von Details.[1] Mit einigem Abstand von den Thesen Goldwaters möchte ich die Primitivismen als einen Komplex von Einflüssen am Ende des 19. und zu Beginn des 20. Jahrhunderts interpretieren, einer Zeit, die durch die Suche nach neuen Ausdrucksformen in den bildenden Künsten gekennzeichnet war. Im Zentrum der primitivistischen Revolution stand nicht die Veränderung und Erneuerung der Vorbilder und der Art und Weise ihrer Behandlung, sondern eine völlige Verwandlung des Werks im Hinblick auf seine ästhetische Botschaft. Das Feld des »Primitivismus«, das sich um andere Ausdrucksformen erweiterte und vom traditionellen Kunstbegriff entfernte, lässt sich nicht mehr auf eine enge Definition begrenzen, vielmehr verbindet seine vielfältigen Formen die Suche nach einem allgemeingültigen Ausdruck.[2]

Die von Rubin in den 1980er-Jahren formulierte und bis zum Ende der 1990er-Jahre geltende Analyse dieser bildnerischen Revolution, hatte einen rassistischen Grundton. Die Künste Afrikas, Ozeaniens sowie Amerikas verfügten demnach über eine besondere Leichtigkeit im emotionalen Ausdruck, die man fälschlich auf eine sogenannte »indigene« und »primitive« Natur zurückführte. Bereits Guillaume Apollinaire hatte 1909 im Hinblick auf die Sammlung von Henri Matisse geschrieben, »die Neger haben mit einzigartiger Reinheit furchteinflößende Emotionen gezeigt«.[3] Noch fünfundzwanzig Jahre später bezeichnete Goldwater die »primitive« Kunst als eine antiintellektuelle, lediglich Empfindungen und Emotionen ansprechende Kunst. Der Grundcharakter der außereuropäischen Objekte, die als »hässlich«, »grotesk«, »bizarr« oder »infantil« galten, war demnach bereits eine hinreichende Erklärung dafür, dass sie in emotionaler Hinsicht ausdrucksstärker waren. So entstand sogar die Idee, die »primitive« Kunst sei vom »Rhythmus« der Völker Afrikas geprägt, welcher die Sinne und nicht die Vernunft anspräche und damit ein typisches Merkmal des Primitivismus im Gegensatz zur kopflastigen Harmonie des westlichen Schöpfertums sei.[4]

Von Vorurteilen geprägt, war diese Sichtweise von einem eurozentrischen Blick auf die Kunst des Primitivismus bestimmt, der das Problem verkehrt herum betrachtete. Denn die starke emotionale Wirkung der außereuropäischen Kunst hatte ihren Grund nicht in ihren verschiedenen Aspekten und Eigenschaften, sondern vielmehr in der westlichen Wahrnehmung dieser Künste. Die gefühlsmäßige Kraft einer afrikanischen, ozeanischen oder indianischen Maske beruhte eher auf dem Schock, den sie beim europäischen Betrachter erzeugte, als in der ursprünglichen kunsthandwerklichen oder künstlerischen Herstellungsweise des Objekts. Wenn die primitivistischen Künstler also erklärten, sie seien von den »Primitiven« beeinflusst, so markierten sie damit einen Bruch, distanzierten sich provokativ von den Normen der Kunst und wählten ein Gegenmodell oder einen radikal gegensätzlichen Standpunkt.[5] Diese Objekte sind Ausdruck eines »Anderen«, eines Unterschieds, der visuell und emotional zugleich ist. Ihre Andersartigkeit kam den Absichten der primitivistischen Künstler entgegen, indem sie den die Gefühle ansprechenden Charakter ihrer Werke stärkte, der einen Bruch darstellen sollte.[6]

Es gilt hier, zwei Dinge zu unterscheiden: einerseits die von Goldwater verfochtene Idee einer antiintellektuellen »primitiven« Kunst, die nur die Empfindungen und Emotionen anspricht, und zum Wesenskern der Suche der primitivistischen Künstler nach Ausdruck geworden ist, und andererseits das Bestreben dieser Künstler, die Ausdruckskraft ihrer Werke zu steigern, indem sie Kunstgriffe der außereuropäischen Kunst nutzten. Folglich geht es darum, dem womöglich noch heute anzutreffenden Konzept des »Primitiven« entgegenzutreten, der durch extremes Leid oder extreme Lust, durch Emotionen und ein ins Extrem gesteigertes Gefühlsleben anstelle durch Vernunft gekennzeichnet sei.[7] Man muss zwar anerkennen, dass es damals in den afrikanischen, ozeanischen, asiatischen oder amerikanischen Künsten eine völlig andere Ausdruckskraft gab, diese aber nicht von der Beschaffenheit der Künste selbst herrührte, sondern im Gegenteil von ihrer Wahrnehmung durch die westliche Gesellschaft, ihre Sitten, Kultur und durch die westlichen Künstler.

Die Primitivismen lassen sich in Hinblick auf die Ausdruckskraft in zwei Parallelbegriffe, den »Archaismus« und den »Primitivismus«, unterteilen. Obwohl beide miteinander verknüpft sind, unterscheiden sie sich hinsichtlich ihrer Darstellungsweise des menschlichen Körpers: Der erste stilisiert, der zweite erfindet.[8] Der erste ist Träger von Formen, der zweite Träger von Ideen. Die terminologische Unterscheidung ermöglicht einen interessanten Vergleich und lässt uns eine Annäherung zwischen Waldemar Deonnas Auffassung von »archaischer primitiver griechischer Kunst« und vielem erkennen, was die primitivistischen Künstler beeinflusst hat. Der Autor erläuterte, wie diese Kunst ihren archaischen Einflüssen verhaftet geblieben ist, sie dabei aber zugleich radikal verwandelt hat, indem sie das Porträt, den Gesichtsausdruck eliminierte. Es handelt sich demnach um »materielle Transkriptionen«.[9]

Der Vergleich mit der griechischen Figur der Archaik ist umso interessanter, als es sich auch um eine Bezugsgröße Modiglianis handelt. Wenn die Kouroï des 6. Jahrhunderts v. Chr. nicht nur eine Rolle bei der Entstehung seiner Karyatiden gespielt, sondern auch mehrere seiner Zeitgenossen beeinflusst haben, muss man seine Inspiration in Hinsicht auf den Ausdruck in der prähistorischen griechischen Kunst suchen. Die weiblichen Figurinen der Kykladen-Zivilisation aus dem 3. Jahrtausend v. Chr. wurden für Modigliani

Abb. 1 | Kopf einer kykladischen Figur, 2700–2300 v. Chr.
Marmor, Höhe: 27 cm, Musée du Louvre, Paris

zu einem wichtigen Symbol, in ihnen fand er Anregungen für die künstlerische Ausdruckskraft (Abb. 1; Kat. 2, 42, 47). Dennoch handelt es sich um ein seltsames Paradox, dass man in diesen ausdruckslosen Figuren, die keine Augen, keinen Mund, keine Persönlichkeit, ja mit Ausnahme der Nase fast kein Antlitz haben, dennoch Ausdrucksträger sah. So wie die Künste Afrikas, Ozeaniens und Amerikas durch ihre Andersartigkeit und ihre geografische Distanz verstörten, frappierten diese Figuren durch ihre Andersartigkeit und zeitliche Distanz. Sie stellen ein Höchstmaß an Vereinfachung dar, indem sie das Gesicht auf einige wenige Züge reduzieren, ohne freilich ganz abstrakt zu werden. Die kykladischen Figurinen zwangen den Betrachter zu einer projektiven, imaginären Wahrnehmung, sie führten eine neue Dimension ein, indem sie einen erstarrten, mit erhabener Feierlichkeit und »Zauber« konnotierten Kanon vorschlugen und so eine völlig neue Ressource für geometrisierende Kompositionen boten.[10] Dieser Kanon wird mit der disruptiven Kraft sowohl geografisch wie auch zeitlich distanzierter Werke kombiniert und diese unerwartete Konvergenz mündet im Faszinationsvermögen eines Gemäldes, einer Zeichnung oder einer Skulptur.

Die strenge Frontalität dieser Kunst, wie sie sich auch in den Porträts Modiglianis zeigt, ist bewegend, denn sie zieht den Blick des Betrachters auf sich. Die Vereinfachung des Sujets verstärkt dies, denn sie reduziert das Bild auf nur ein Element, das zwar eine Geschichte, ein Narrativ erzählen könnte, was aber durch diese zutiefst antinarrative Funktion der Absorption des Betrachterblicks sogleich auch wieder unterbunden wird.[11] Die Blicke des Dargestellten und die des Betrachters begegnen einander und lassen eine starke Spannung entstehen. Seinen Höhepunkt erreicht dieser Vorgang in zahlreichen Werken Modiglianis, aber auch bei Picassos *Demoiselles d'Avignon*.[12] Das Paradox besteht also letztlich darin, dass eine Kunst, die scheinbar keine Perspektive, keine Tiefe, keinen Ausdruck besitzt, aufgrund ihres sozialen, kulturellen und künstlerischen Kontexts außerordentlich ausdrucksstark wird. Man denke dabei auch an andere, ähnlich ausdruckssteigernde Kunstgriffe, um die es sich etwa bei den Masken durch ihre »zeitlose Fixierung« und bei den Fetischen dank ihrer »magischen« Funktion handelt.[13] Die Inszenierung, mag sie auf eine abendländische Tradition zurückgehen oder von den Künsten Afrikas, Ozeaniens, Asiens oder Amerikas inspiriert sein, Hieratisierung sowie Sakralisierung der Figuren verstärken die Kraft eines Werkes, indem sie zu einer zunehmenden »Totemisierung« der Figuren führen.[14] Im Zentrum dieser Frage nach der Intensität des Ausdrucks steht die Simplizität des menschlichen Blicks, der über jeden Ausdruck hinausgeht, den eine Figur, ein Sujet, die Machart eines Werks, ja sogar seine Botschaft haben kann.

1 Irrtümlicherweise rechtfertigte dieses Argument für ihn die Annahme, dass die Primitivisten keine Anleihen bei den außereuropäischen Künsten machten.

2 Jean-Luc Aka-Evy, »De l'art primitif à l'art premier«, in: *Cahiers d'études africaines* 39, 155/156, 1999, S. 567.

3 Zit. nach Robert Goldwater, *Le Primitivisme dans l'art moderne*, Paris 1988, S. 94.

4 Bogumil Jewsiewicki, »Le Primitivisme, le postcolionalisme, les antiquités ›nègres‹ et la question nationale«, in: *Cahiers d´études africaines. La malédiction* 32, 121/122, 1991, S. 193.

5 Philippe Dagen, *Primitivismes. Une invention moderne*, Paris 2019, S. 136.

6 Ebd.

7 Jewsiewicki 1991, S. 192.

8 Thierry Dufrêne, »Rezension von: Philippe Dagen, Le peintre, le poète, le sauvage. Les voies du primitivisme dans l'art français «, in: *Revue de l'art*, 124, 1999, S. 94.

9 Waldemar Deonna, »L'Évolution de l'art grec«, in: *Revue des études grecques*, 50, 238, Oktober–Dezember 1937, S. 498–499.

10 Christine Marret, »Le Primitivisme moderne: appropriations, emprunts et détournements. ›Les Carnets des Demoiselles d'Avignon‹«, in: *Genesis. Manuscrits – Recherche – Invention* 15, 2000, S. 36.

11 Ebd., S. 37.

12 So hebt Léo Steinberg bei den *Demoiselles d'Avignon* die Faszinationskraft des Werks hervor: ». . . kein anderes Gemälde spricht den Betrachter mit einer derartigen Intensität an . . .«. Léo Steinberg, »Le Bordel philosophique«, in: *Les Demoiselles d'Avignon*, hg. von Réunion des Musées Nationaux (Ausst.-Kat. Grand Palais Paris), Paris 1988, S. 322.

13 Marret 2000, S. 39.

14 Ebd., S. 40.

41 | Amedeo Modigliani
Mädchen in Blau, 1918
Stiftungsfonds Jonas Netter

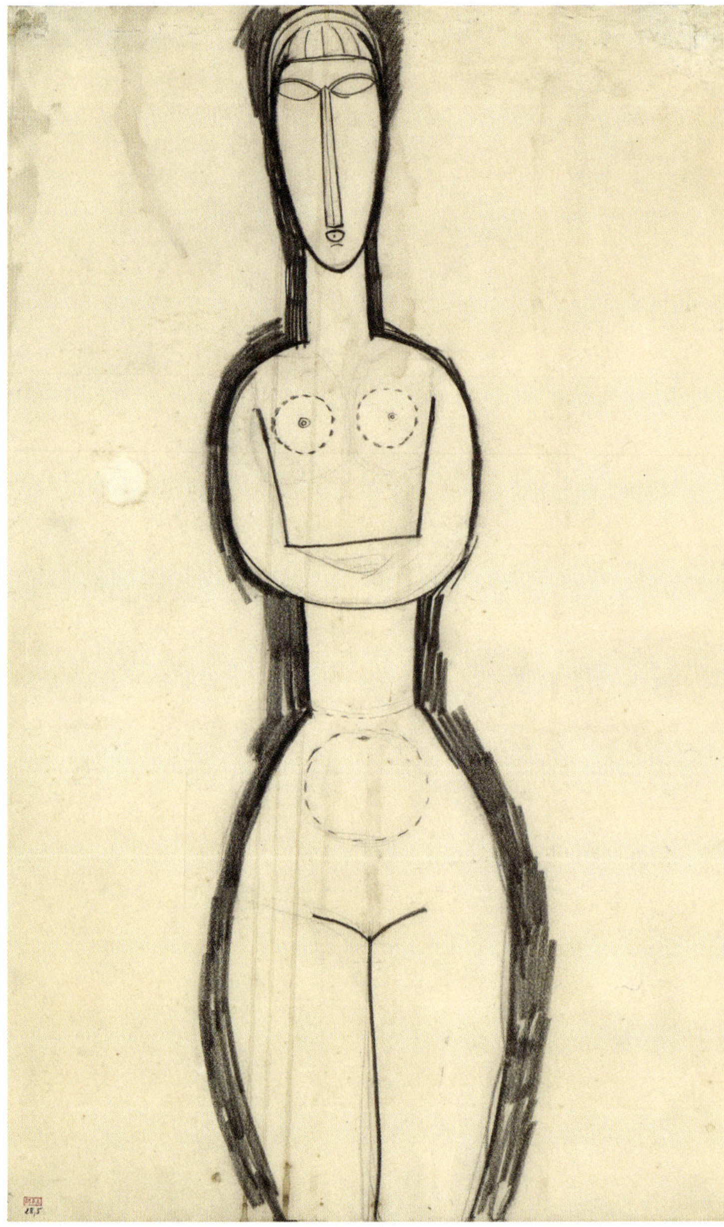

42 | **Figur, frühkykladisch, 2700–2300 v. Chr.**
Szépművészeti Múzeum, Budapest

43 | **Amedeo Modigliani**
***Weiblicher Akt mit verschränkten Armen*, um 1911**
Paul Alexandre Family, courtesy of Nathanson Fine Art, London

44 | **Amedeo Modigliani**
Junge Frau mit blauer Bluse, 1919
Stiftungsfonds Jonas Netter

45 | Amedeo Modigliani
Madame Minoucha, 1916
Sammlung Rosalynn und
Christoph Bacher

46 | Amedeo Modigliani
Die schöne Konditorin, 1916
Privatsammlung Marina
Ruiz-Picasso

47 | **Weibliches Inselidol mit verschränkten Armen, frühkykladisch, 2700–2400 v. Chr.**
Skulpturensammlung, Staatliche Kunstsammlungen Dresden

48 | **Amedeo Modigliani**
***Der Graf Wielhorski*, 1917**
Privatsammlung

49 | Amedeo Modigliani
Mädchen im gelben Kleid, 1917
Privatsammlung

50 | Amedeo Modigliani
Elvira mit weißem Kragen, 1917 oder 1918
Stiftungsfonds Jonas Netter

51 | Amedeo Modigliani
Constant Lepoutre, 1917
Stiftungsfonds Jonas Netter

52 | Amedeo Modigliani
Das schwarze Haar, 1918
Musée National Picasso-Paris,
ehemals Sammlung Picasso

modigliani

53 | **Amedeo Modigliani**
Die Burgunderin, 1918
Privatsammlung, Schweiz

54 | **Amedeo Modigliani**
Das Dienstmädchen, um 1916
Minneapolis Institute of Arts. Schenkung
Mr. und Mrs. Samuel Maslon

55 | **Amedeo Modigliani**
Die junge Lolotte, 1918
Privatsammlung, Europa

56 | **Amedeo Modigliani**
Junge im gestreiften Pulli, 1918
The Metropolitan Museum of Art, New York. Sammlung Jacques and Natasha Gelman

57 | Amedeo Modigliani
Hanka Zborowska, 1918
Stiftungsfonds Jonas Netter

58 | Amedeo Modigliani
Jeanne Hébuterne, 1919
Onyx Art Collection

59 | **Amedeo Modigliani**
Annie Bjarne, 1919
Privatsammlung

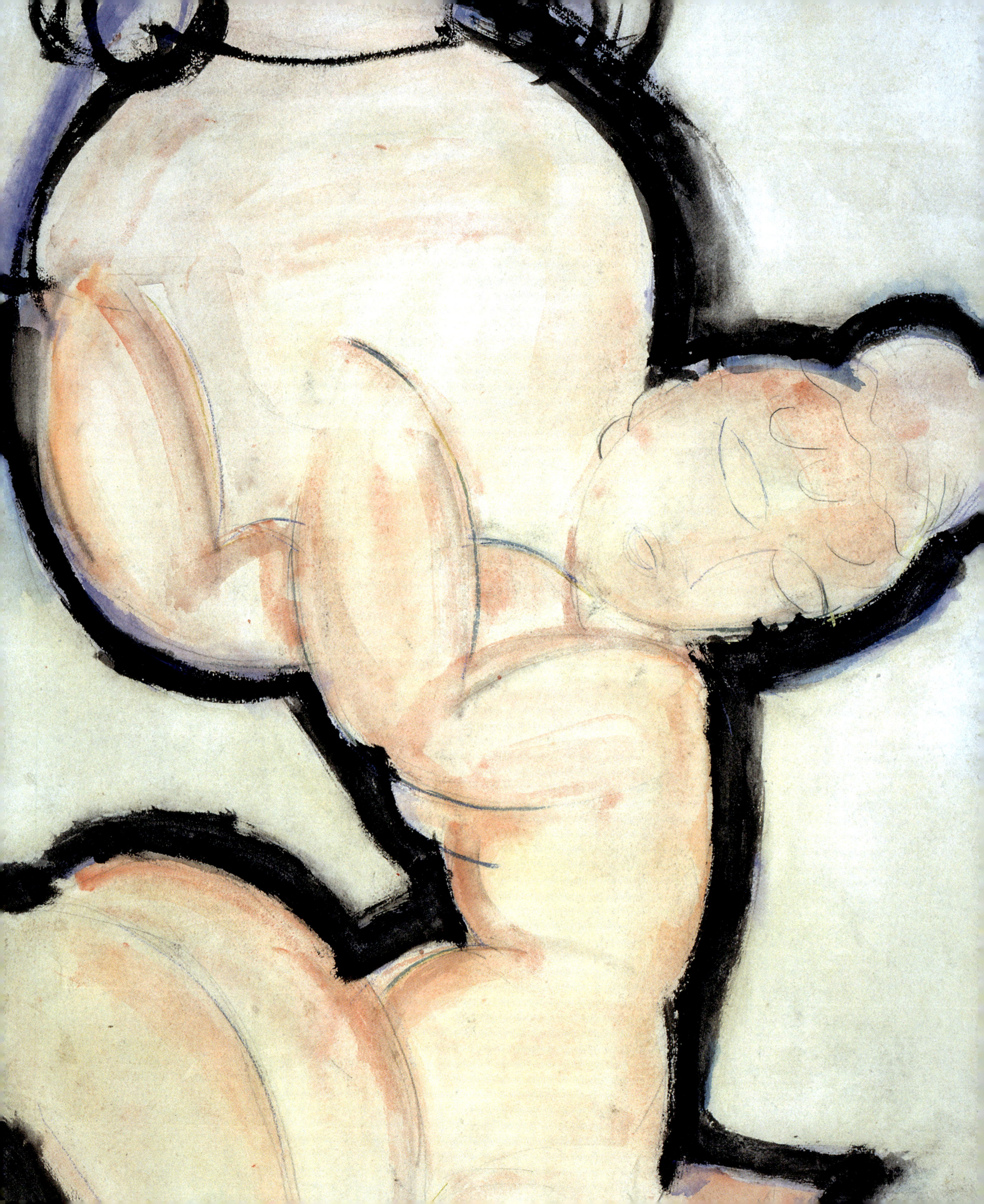

Der Körper in Modiglianis Werk

Bevor man von den Einflüssen der Primitivismen spricht, muss man sich vergegenwärtigen, dass sie einem für das späte 19. und frühe 20. Jahrhundert charakteristischen kulturellen und sozialen Kontext entspringen, einem Zeitraum, der von Kolonisierung, einem kolonialistischen Denken und dem Eindringen der westlichen Welt in die Regionen Afrikas, Asiens, Ozeaniens und Amerikas geprägt war. Wenn es also darum geht, ein gemeinsames Merkmal zu finden, das noch bezeichnender ist als der von Goldwater analysierte Prozess der ästhetischen Vereinfachung der Werke, sollte man sich für den historischen Kontext interessieren, in dem die primitivistischen Künstler lebten. Man könnte also von einem »sozialen Primitivismus« sprechen, bei dem die Einflüsse der »primitiven« Völker sich auf die sozialen Beziehungen und das gesellschaftliche Leben der primitivistischen Künstler auswirkten. Tatsächlich teilten diese Maler und Bildhauer gemeinsame Lebensorte und -umstände und standen einander zumal deshalb nahe, weil sie sich auf dieselbe Weise, das heißt in dem gemeinsamen Bestreben nach ästhetischer Erneuerung, für die außereuropäischen, in ihren Augen bedeutsamen Künste interessierten. Sie alle besuchten das Musée d'Ethnographie du Trocadéro (Abb. 1), sie alle gingen 1907 in die Kolonialausstellung in Vincennes, sie alle waren von einer Leidenschaft für die afrikanischen, ozeanischen oder amerikanischen Objekte erfüllt und sammelten diese teilweise sogar. Ihr Lebensumfeld, das sehr stark von jener modernen Gesellschaft geprägt war, die alles »Primitive« verachtete, kann als einer der Gründe für die ästhetische Revolution der primitivistischen Künstler gesehen werden. Das Verständnis dieses historischen Kontexts ermöglicht es, diese Seite des ästhetischen Wandels dieser Zeit zu verstehen.

Am Beginn des »sozialen Primitivismus« stand das Eintreffen jener von James Clifford als »nichtwestliche Artefakte« bezeichneten Objekte in Europa.[1] Einher ging dies mit der Verbreitung eines Narrativs – in gelehrter oder vulgarisierter Form –, in dem von »primitiven« Regionen die Rede war, die zu ihrem eigenen Wohl und um ihrer Entwicklung willen der Autorität der westlichen Kultur unterstellt werden müssten. Clifford zufolge wurden diese Artefakte erst durch die Autorität des Westens und die Wahrnehmung der westlichen Gesellschaft in den Rang von Kunstwerken erhoben.[2] Dieses Autoritäts-, ja Aneignungsverhältnis zwischen den außereuropäischen und den westlichen Künsten blieb während des gesamten 20. Jahrhunderts Teil des Selbstverständnisses der westlichen Kunstgeschichte. Hierbei bediente man sich semantisch aufgeladener, andeutungsreicher Zuschreibungen, wobei Kunsthistoriker und Anthropologen unter dem Deckmantel wissenschaftlicher Argumente afrikanische, ozeanische, amerikanische oder archaische Kunstobjekte mit Adjektiven wie »kubistisch«, »expressionistisch«, »surrealistisch«, »minimalistisch« und so weiter belegten.[3] Die Epoche des primitivistischen Einflusses auf Modigliani, Pablo Picasso, Henri Matisse, André Derain und ihre Zeitgenossen stellte einen Wendepunkt in der Wahrnehmung außereuropäischer Kunst im Westen dar. Zwar billigte man ihr den Status von Kunst zu, sie behielt dabei aber ihre untergeordnete Stellung gegenüber den europäischen schönen Künsten. Diese Wahrnehmung scheint

Abb. 1 | Blick in den Afrika-Saal des Musée d'Ethnographie du Trocadéro, um 1880–1906

Abb. 2 | André Derain, *Badende*, 1908
Öl auf Leinwand, 24 × 32,5 cm
Musée National Picasso-Paris,
ehemals Sammlung Pablo Picasso

die treibende Kraft hinter den Primitivismen gewesen zu sein: Während die vorherige Künstlergeneration am Ende des 19. Jahrhunderts zwar Zugang zu den Kunstobjekten aus Afrika, Ozeanien und Amerika hatte, aber kein Bedürfnis verspürte, sich von ihnen inspirieren zu lassen, markiert die Generation der primitivistischen Künstler eine Zäsur. Getragen von einem besonderen Freiheitswunsch gegenüber der zeitgenössischen Gesellschaft, die sie häufig als dekadent empfanden, und der Wiederentdeckung ästhetischer und bildnerischer Ausdrucksmittel war den primitivistischen Künstlern die Revolutionierung der Darstellung des Körpers gemeinsam. Modigliani, Picasso, Derain und Matisse machten dieselbe künstlerische Entwicklung durch, indem sie Vereinfachung, Expressivität, Nacktheit, Sexualisierung, farbliche Intensität und formalen Erfindungsreichtum miteinander verbanden. Bei den primitivistischen Künstlern ist diese neue Darstellungsform des menschlichen Körpers, des Fleisches, der Gliedmaßen und der Posen Teil einer Logik »der Aktivierung des Primitiven«, sprich ein Prozess der Umsetzung bildnerischer Elemente der sogenannten »primitiven« Gesellschaften, um den Betrachter der »modernen« Gesellschaft vor den Kopf zu stoßen. Hinsichtlich der *Demoiselles d'Avignon* erkannte William Rubin bei Picasso das »Bemühen, die Geschichte der Bilderproduktion selektiv noch einmal nachzuzeichnen, um die grundlegenden Komponenten der bildnerischen Sprache herauszuarbeiten«.[4]

Dieser neue Umgang mit dem Körper findet sich sowohl in Malerei und Zeichnung als auch in der Skulptur und ist durch zahlreiche charakteristische Merkmale gekennzeichnet. Hierzu zählt an erster Stelle eine neue Farbgebung mit einer neuartigen, reduzierten Chromatik wie der Verwendung von Ocker-, Gelb- und Rottönen, die sich vom Kanon der akademischen Künste entfernt (Abb. 2). Das Inkarnat wird strahlender, glühender und rosiger. Die Formen verselbstständigen sich, mal sind sie vereinfacht, mal kubistisch zerlegt, oder sie bewegen sich an den Grenzen zur Abstraktion. Manche werden frei erfunden, andere der Nachahmung unterworfen, wieder andere gehen auf bestimmte Vorbilder zurück. Die Gesichter sind in die Länge gezogen, werden oval, von Masken inspiriert, die Nasen dreieckig. Die menschliche Gestalt verwandelt sich zum Repertoire stilistischer und kreativer Effekte, ist in eine auf sich selbst bezogene synthetische Komposition eingebunden und steht im Zentrum des Bildes. Hervorgehoben wird sie durch eine anatomische Studie ihrer Strukturen und Kompositionselemente, durch ein Interesse an der Geometrie, die weder Rücksicht auf symbolische Darstellungen, konventionelle Narrative, den theatralischen Ausdruck der akademischen Malerei noch auf Allegorien oder das Anekdotische nimmt. Die neue Darstellung des Körpers veranschaulicht den Entwicklungsprozess des Werkes selbst, zeigt, wie sich die einzelnen fragmentierten Körperteile artikulieren, legt den Blick hinter die Kulissen der Arbeit des Malers offen.[5]

Die farbenfrohen und fragmentierten Figuren wurden von der afrikanischen, ozeanischen oder amerikanischen Kunst inspiriert, die in den Augen der primitivistischen Künstler für Exzess, Ausdruck und die Überschreitung des westlichen Kanons stand. Letztere wurde durch den gemeinsamen Kontext noch verstärkt, in dem die Künstler dieselbe Wahrnehmung der Gesellschaft teilen: jener Gesellschaft, in der sie lebten und von der ausgehend sie ihre Identität aufbauten, indem sie mit deren Gesetzen und Normen brachen.

1 James Clifford, *The Predicament of Culture: Twentieth-Century Ethnography, Literature and Art*, Cambridge, MA 1988, S. 152–153.
2 Philippe Dagen, *Primitivismes. Une invention moderne*, Paris 2019, S. 11.
3 Ebd., S. 12.
4 William Rubin, »La Genèse des Demoiselles d'Avignon«, in: *Les Demoiselles d'Avignon*, hg. von Réunion des Musées Nationaux (Ausst.-Kat. Grand Palais Paris), Paris 1988, S. 474.
5 Christine Marret, »Le Primitivisme moderne: appropriations, emprunts et détournements. ›Les Carnets des Demoiselles d'Avignon‹«, in: *Genesis. Manuscrits – Recherche – Invention* 15, 2000, S. 34–36.

60 | **André Derain**
Die großen Badenden, 1908
Stiftungsfonds Jonas Netter

61 | **Pablo Picasso**
Studie zu *Die Schnitter (Ernte)*, 1907
Musée National Picasso-Paris

62 | **Pablo Picasso**
Studie zu *Badende im Wald,* 1908
Musée National Picasso-Paris

63 | Pablo Picasso
Liegender Akt mit Figuren, 1908
Musée National Picasso-Paris

64 | **Amedeo Modigliani**
Weiblicher Akt im Profil, das Gesicht von Leuchtern gerahmt, im Vordergrund eine brennende Kerze (Anna Achmatowa), um 1911
Privatsammlung

65 | **Amedeo Modigliani**
Akrobat, um 1910/11
Paul Alexandre Family, courtesy of Nathanson Fine Art, London

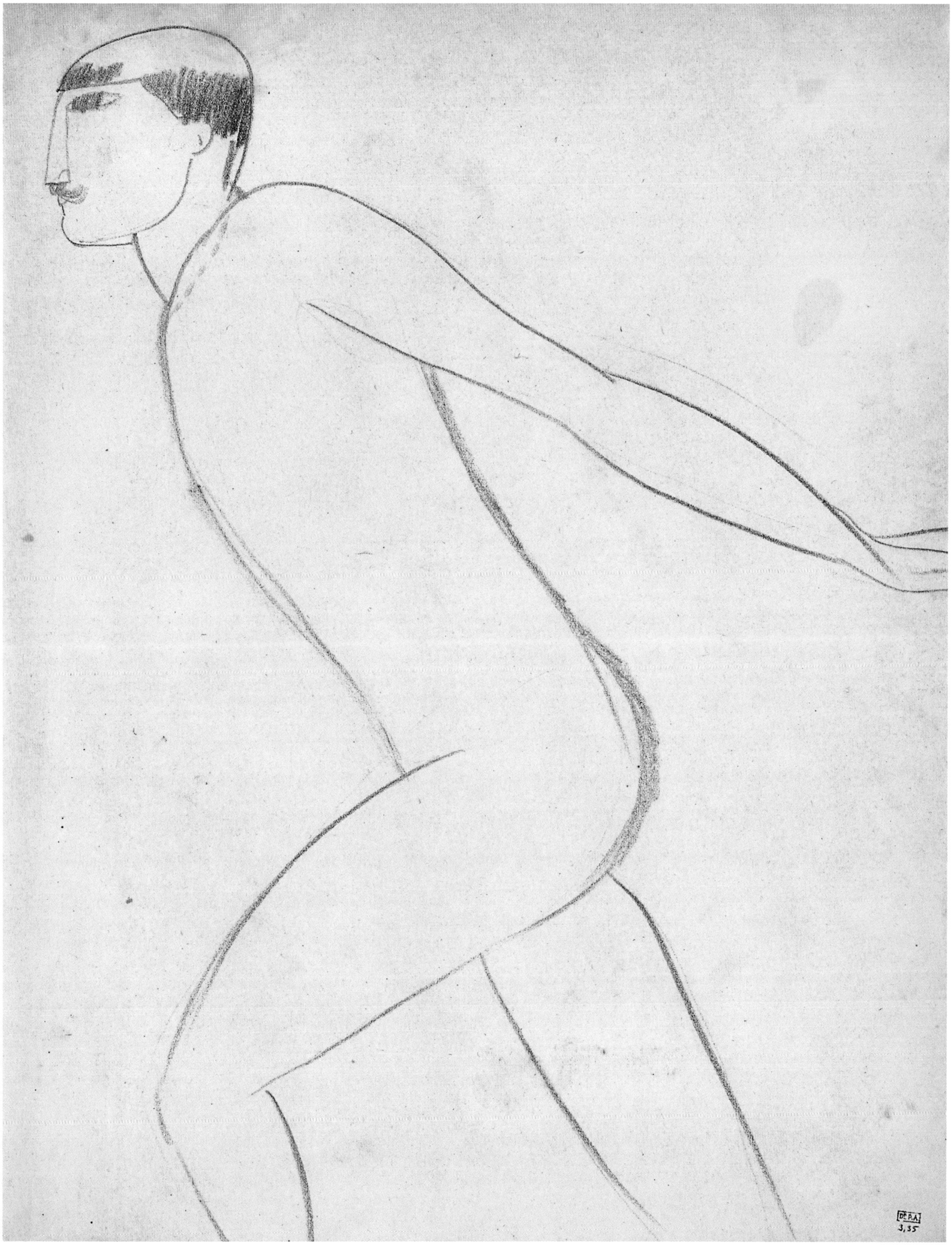

66 | **Pablo Picasso**
Studie zu *Freundschaft*, 1907/08
Musée National Picasso-Paris

67 | **André Derain**
***Das Paar (Die Zwillinge; Mann und Frau)*, 1907**
Lehmbruck Museum, Duisburg

68 | Amedeo Modigliani
Karyatide mit Vase, um 1914
Tate, London. Legat Mrs. A. F. Kessler

69 | **Amedeo Modigliani**
Sitzender Akt, 1917
Koninklijk Museum voor
Schone Kunsten, Antwerpen

70 | Amedeo Modigliani
Rothaarige Frau im weißen Hemd, 1918/19
Privatbesitz

71 | **Amedeo Modigliani**
Weiblicher Halbakt, 1918
Albertina, Wien. Sammlung Batliner

Hals und Nase: ihre Einflüsse

Zur Festlegung auf eine, wenn auch unvollständige Definition der Primitivismen, wie sie William Rubin 1984 anlässlich der Ausstellung im Museum of Modern Art formuliert hat, galten sowohl Modigliani als auch Picasso unter den primitivistischen Künstlern als Hauptvertreter dieser Kunstströmung. Laut Rubin war der »Primitivismus« vor allem Ausdruck des »ausgeprägten Interesses der modernen Künstler für die Kunst und Kultur der Stammesgesellschaften«.[1] Dieses Interesse ist durch eine vorrangige Beeinflussung der Künstler der Avantgarde durch die sogenannten »primitiven« Künste gekennzeichnet. So spricht Rubin von einer »Affinität« zwischen den »Stammeskünsten« und den »modernen« Künsten, was vor allem in den 1980er- und 1990er-Jahren besonders umstritten war. Doch auch wenn diese Aussagen heute nuancierter formuliert werden müssen, werfen sie nach wie vor die Frage nach den Anleihen auf, da die primitivistischen Künstler in ihren Werken mehr oder weniger sichtbare Elemente der außereuropäischen Künste aufgriffen, zu denen sie Zugang hatten. Modigliani bildete keine Ausnahme von dieser Regel und man erkennt in seinen Darstellungen von Hals und Nase zwei wesentliche Einflüsse der »primitiven« Künste.

Es stellt sich also die Frage nach der Definition: Soll man von Anleihe, Verfremdung oder Aneignung sprechen? Die richtige Wortwahl ist wichtig. Seit der Ausstellung von 1984 bestimmt sie die Debatte um den Primitivismus, die infolge der zahlreichen Fragen, die sie aufwarf, bis heute anhält. Die Frage nach der Entstehung der *Demoiselles d'Avignon*, die Picasso malte, bevor er die Künste Afrikas im Musée d'Ethnographie du Trocadéro entdeckte, steht im Mittelpunkt dieser Problematik.[2] Der Begriff »Verfremdung« meint die Vorstellung einer expliziten, aber unausgesprochenen Veränderung und in ästhetischer Hinsicht das bewusste Aufgreifen der Form, um ihr eine andere Bedeutung zu verleihen. Der Begriff »Aneignung« hingegen ist wesentlich aktiver und wird leicht mit der Idee der kulturellen Appropriation assoziiert. Wenngleich das Wort ursprünglich die Nachahmung einer Form meint, um sie sich mittels der individuellen Wahrnehmung zu eigen zu machen, enthält sie doch implizit auch die Idee, dass die Künstler der Avantgarde die afrikanischen, ozeanischen und amerikanischen Zeichen für sich beansprucht und sie so eines Teils ihrer ursprünglichen Bedeutung beraubt haben. Ohne die Frage an dieser Stelle beantworten zu wollen, haben wir uns hier für die Begriffe »Einfluss« und »Anleihe« entschieden, zumal die künstlerischen Entscheidungen Modiglianis hinsichtlich seiner Darstellung von Hals und Nase rein ästhetischer Natur waren. Sie entsprachen seinem Kunstwollen und seinen Beobachtungen der außereuropäischen Künste.

Christine Marret benutzt den Begriff »image métissée«, den man als »Mischwesen« übersetzen könnte, um jene bildnerischen Elemente zu beschreiben, bei denen der Einfluss der Künste Afrikas, Ozeaniens, Asiens und Amerikas sichtbar wird.[3] Ein solches Bild hat etwas Paradoxes: Einerseits möchten diese »Mischwesen« den Einfluss der »primitiven« Künste zu erkennen geben, um daraus ihre expressive Kraft zu schöpfen. Andererseits versuchen sie, sich von diesen zu distanzieren, um jene eigene Identität zu erschaffen, nach der die primitivistischen Künstler damals suchten.[4] Das Bild ist also gewissermaßen Bedeutungsträger wider Willen, man kann von Anleihen aus Bildsprachen anderer Künste sprechen. Die Lektüre dieser verschiedenen Sprachen, man könnte sie als semiologische Lektüre der Kunst bezeichnen,[5] erlaubt es, die Erzeugung von Ausdruck, wie ihn die primitivistischen Künstler anstrebten, zu verstehen, aber auch, die Entstehungsgeschichte der Werke hierzu in Beziehung zu setzen.

Bei Modigliani steht die Darstellung von Hals und Nase im Mittelpunkt des »image métissée«. Sie ist Teil der Vereinfachung von Formensprache und Sujet, durch die Modigliani das Thema der Karyatide entdeckt hat und die er bis zu seinem Tod fortgeführt hat. Die Hälse und Nasen der Gesichter Modiglianis verbindet dasselbe bildnerische Verfahren, nämlich die stilisierte Längung des Körpers. Dieser Effekt tritt erstmals in seinen Gemälden aus den

Abb. 1 | Reliquienkopf, Byeri-Kult, Fang, Gabun, um 1850–1900
Holz und Messing, 49,5 × 13,5 × 13 cm
Musée National d'Art Moderne, Centre Pompidou, Paris

Jahren 1910 bis 1911 zutage und nimmt bis zu seinem Lebensende kontinuierlich an Intensität zu. Die Köpfe seiner zunehmend längeren Figuren laufen im Verhältnis zu diesen auch immer spitzer zu. Dies geht mit entsprechend gelängten Hälsen einher. Und das Gleiche gilt für die Gesichter mit ihren außerordentlich feinen, langen Nasen.

Der Einfluss der prähistorischen Figurinen der Kykladen-Zivilisation hat in der stilistischen Entwicklung Modiglianis sicherlich eine Rolle gespielt, zumal Nase und Hals praktisch die einzigen physischen Kennzeichen dieser Objekte waren. Dennoch können die langen Hälse auch von anderen Quellen beeinflusst sein, denn Objekte der hieratischen Kunst Afrikas (Abb. 1) und Amerikas, Totems und Fetische, weisen ähnliche Ausdrucksformen auf. Sie sind »Motiv« zahlreicher außereuropäischer Objekte, die für Macht und Größe stehen, haben aber auch eine gewisse Ähnlichkeit mit einem Phallussymbol. Die Nasen hingegen haben eher Entsprechungen in der Maskenkunst und der Kunst der Khmer, wo sie eine große Rolle für die Strukturierung der Gesichter spielen. Dieser Einfluss ist bei Modigliani besonders groß, zumal er ein großer Liebhaber des Musée Indochinois am Trocadéro war. So konnte er dort den fünfzehn Meter hohen Abguss eines der Gesichtertürme des Tempels von Bayon in Angkor Thom mit seiner riesigen Nase sehen. Unbestritten zählen die Skulpturen zu denjenigen Werken Modiglianis, bei denen Hals und Nase am markantesten sind. Seine Köpfe sind ergreifende Zeugnisse dieses »primitivistischen« Einflusses. Die Tatsache, dass sein Freund Constantin Brancusi sich von denselben Quellen inspirieren ließ, erklärt das ähnliche Erscheinungsbild der Skulpturen der beiden Künstler in jener Zeit.

Die beiden bildnerischen Elemente Hals und Nase sind Symbole, ja Zeichen, die, wie viele andere auch, unterschiedlichste Bedeutungen zum Ausdruck bringen. Die Erzeugnisse der primitivistischen Künstler weisen mit all jenen skulpturalen und bildnerischen Elementen, welche an die außereuropäischen Künste denken lassen, jene drei Formen des Zeichens auf, die der Semiotiker Charles Sanders Peirce als Ikone, Index und Symbol bezeichnet hat. Der Ikone entspricht die Ähnlichkeit mit dem Objekt. Indem sie die visuellen Elemente der afrikanischen, ozeanischen, asiatischen oder amerikanischen Künste in Erscheinung treten lassen, verdeutlichen die primitivistischen Künstler die Ähnlichkeit mit dem Ursprungsobjekt. Der Index repräsentiert die Spur, die das Objekt nach seiner »Passage« hinterlässt. Das heißt, die Werke der Primitivisten erlangen eine eigene Identität, bewahren aber dennoch die Spuren des außereuropäischen Einflusses. Das Symbol schließlich ist das Zeichen, mit dem man eine Idee in Verbindung bringen kann und das sich somit einer Interpretation verdankt. Die Werke der primitivistischen Künste sind also Symbole, da sie auf einem Bruch mit der modernen europäischen Gesellschaft beruhen. Um ihre Ausdruckskraft und ihren konfrontativen Charakter zu verstehen, muss man sie im Kontext ihrer Verbindung zu den Künsten der »Primitiven« deuten. Carl Einsteins in seinem Buch *Negerplastik* von 1915 formulierte Analyse einer »Kunst der Primitiven«, die zwar die Maske kennt, nicht aber das Porträt, hat einen rassistischen Unterton, bestätigt aber dieses Bild einer Epoche, in der verschiedene primitivistische Werke zirkulierten, die ebenso ausdrucksstark sind wie die mächtigen Symbole, deren Träger sie sind.[6]

1 William Rubin (Hg.), *»Primitivism« in 20th Century Art. Affinity of the Tribal and the Modern*, New York 1984.

2 Christine Marret, »Le Primitivisme moderne: appropriations, emprunts et détournements. ›Les Carnets des Demoiselles d'Avignon‹«, in: *Genesis. Manuscrits – Recherche – Invention* 15, 2000, S. 30.

3 Ebd.

4 Ebd.

5 Ebd., S. 29.

6 Carl Einstein, *Negerplastik*, Leipzig 1915, S. 353.

72 | Amedeo Modigliani
Pablo Picasso, 1915
Privatsammlung

73 | Amedeo Modigliani
Pierrot mit Halskrause, um 1911
Paul Alexandre Family, courtesy of Nathanson Fine Art, London

74 | Amedeo Modigliani
Selbstbildnis als Pierrot, 1915
Statens Museum for Kunst,
Kopenhagen

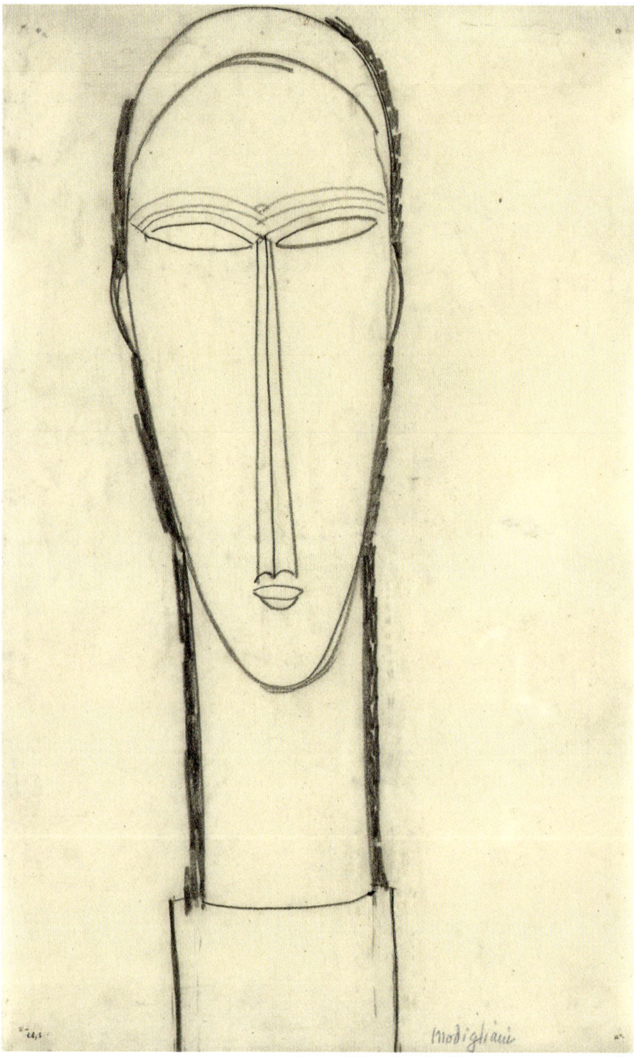

75 | Amedeo Modigliani
Kopf auf einem Sockel, um 1911
Paul Alexandre Family, courtesy of Nathanson Fine Art, London

76 | Amedeo Modigliani
Studie eines Kopfes mit Halskette, um 1911
Paul Alexandre Family, courtesy of Nathanson Fine Art, London

77 | Amedeo Modigliani
Kopf, 1913
Staatliche Kunsthalle Karlsruhe

78 | **Amedeo Modigliani**
***Kopf mit verziertem Sockel*, 1912**
Philadelphia Museum of Art. Schenkung Mrs. Maurice J. Speiser in Erinnerung an ihren Mann

79 | **Amedeo Modigliani**
***Lola de Valence*, 1915**
The Metropolitan Museum of Art, New York. Legat Miss Adelaide Milton de Groot

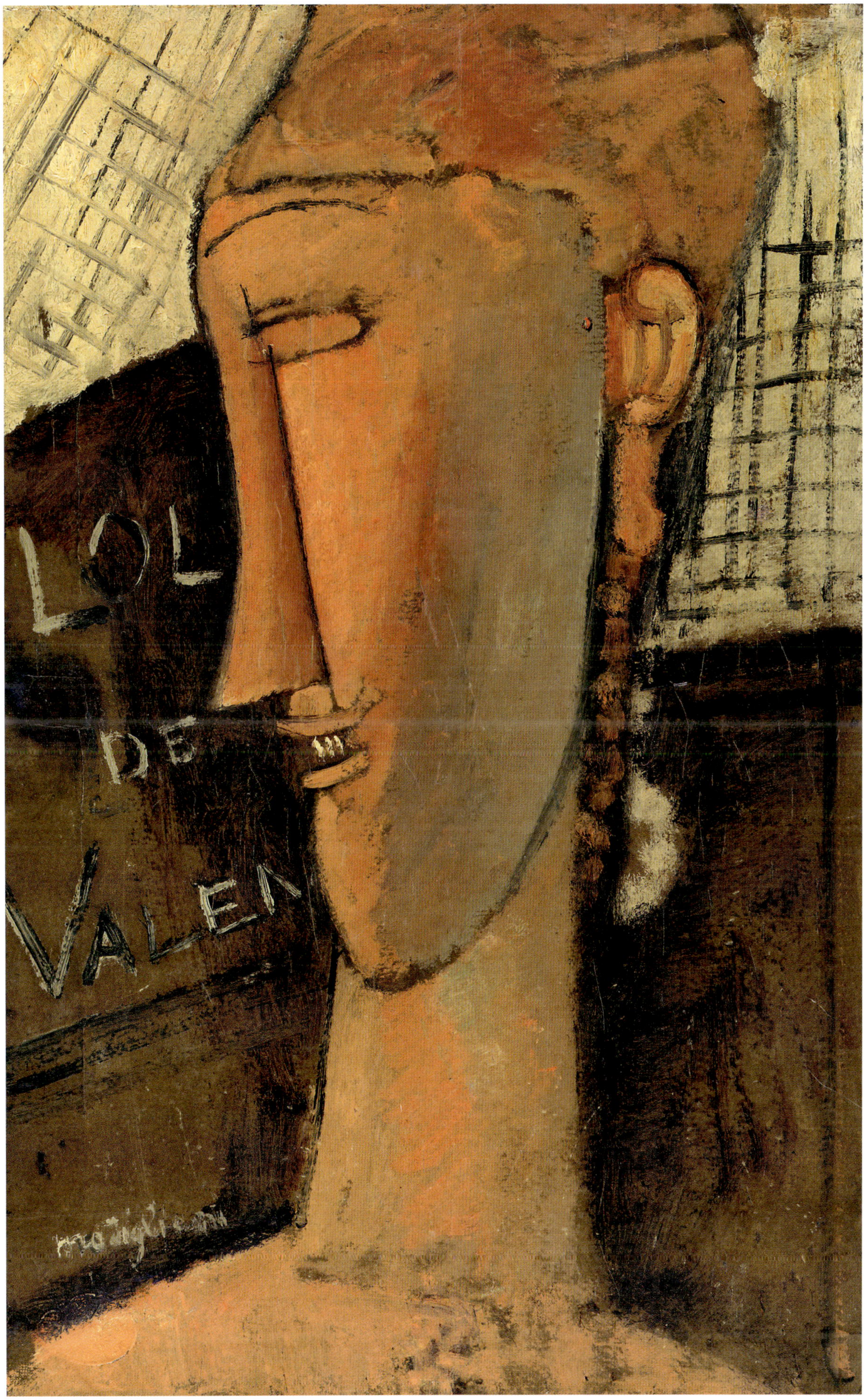

80 | **Amedeo Modigliani**
Kopf, 1911/12
Minneapolis Institute of Arts. Schenkung Mr. and Mrs. John Cowles

81 | **Amedeo Modigliani**
***Kopf im Profil mit Ohrring und Halskette*, um 1911**
Paul Alexandre Family, courtesy of Nathanson Fine Art, London

82 | **Amedeo Modigliani**
***Kopf im Profil mit der Skizze eines Gesichtes in Halshöhe*, 1911/12**
Musée des Beaux-Arts, Rouen

83 | Amedeo Modigliani
Kopf, 1911/12
Paul Alexandre Family, courtesy of Nathanson Fine Art, London

84 | Amedeo Modigliani
Kopf mit Stirnfransen, Ohrringen und Halskette, 1911/12
Paul Alexandre Family, courtesy of Nathanson Fine Art, London

85 | **Weiblicher Kopf, Angkor, Bayon-Stil, Ende 12./Anfang 13. Jahrhundert**
Musée National des Arts Asiatiques – Guimet, Paris

86 | Amedeo Modigliani
Baranowski, 1915
Privatsammlung, Paris

87 | Amedeo Modigliani
Beatrice Hastings, den Kopf in die rechte Hand gestützt, 1914
Stiftungsfonds Jonas Netter

88 | **Amedeo Modigliani**
***Beatrice Hastings*, 1915**
Privatsammlung, courtesy Raphaël Roux dit Buisson, Du Lac Fine Art, Paris

89 | **Reliquienkopf, Fang,**
19. Jahrhundert
Sainsbury Centre, University of East Anglia, Norwich, ehemals Sammlung Paul Guillaume

90 | Amedeo Modigliani
Madame Hastings, 1915
Albertina, Wien

91 | Amedeo Modigliani
Paul Guillaume (Verso von Kat. 90), 1915
Albertina, Wien

92 | Amedeo Modigliani
Porträt einer jungen Frau, um 1915
The Syndics of the Fitzwilliam Museum, University of Cambridge

modigliani

93 | Amedeo Modigliani
Raimondo, 1915
Alsdorf Collection

94 | **Amedeo Modigliani**
Mädchen mit Ponyfrisur, 1917
Courtesy of Galerie de la
Béraudière, Brüssel

95 | **Amedeo Modigliani**
Leopold Zborowski, 1916
Stiftungsfonds Jonas Netter

96 | **Amedeo Modigliani**
Hanka Zborowska, 1916
Privatsammlung

modigliani

97 | Amedeo Modigliani
Junge Frau mit Schneckenfrisur, 1918
Privatsammlung

98 | Amedeo Modigliani
Hanka Zborowska, 1918/19
Privatsammlung

99 | **Amedeo Modigliani**
Junger Mann mit Mütze, 1918
Stiftungsfonds Jonas Netter

100 | Amedeo Modigliani
Junger Mann mit Mütze, 1918
Detroit Institute of Arts. Legat
Robert H. Tannahill

modigliani

101 | Amedeo Modigliani
Madame Zborowska, 1918
Tate, London. Legat Mrs. A. F. Kessler

102 | Amedeo Modigliani
Brustbild einer Frau (Variété-Sängerin), 1918
Privatsammlung, Ukraine

103 | **Amedeo Modigliani**
Mädchen mit roten Haaren (Jeanne Hébuterne), 1918
Privatsammlung

104 | Amedeo Modigliani
Jeanne Hébuterne, 1918
Stiftungsfonds Jonas Netter

105 | Constantin Brancusi
Frau, sich in einem Spiegel betrachtend, 1909/1914
Sammlung David Grob

106 | Constantin Brancusi
Dame mit Haarkamm oder *Profil einer Frau mit Chignon*, um 1912
Privatsammlung, Paris

C. Brancusi

Das Gesicht und die Maske

Anscheinend ist »Maske« ein Begriff, der sich leicht definieren lässt. So lautet die sich auf wenige Worte beschränkende Definition in den 1870er-Jahren im *Grand dictionnaire universel du XIXe siècle* folgendermaßen: »Falsches Gesicht, mit dem man das Antlitz bedeckt, um sich zu tarnen«.[1] Doch hinter dieser Einfachheit lauert das Dickicht von Bedeutungen, die ein solches Zeichen in seiner Funktion annehmen kann. Indem sie täuscht, nachahmt, verwandelt und verschleiert, kann die Maske eine Fülle religiöser, kultureller, kultischer, symbolischer Funktionen übernehmen. Ihre Verwendung ist universell und sie findet sich in allen Ländern und auf allen Kontinenten. Die Vielfalt ihres Erscheinungsbildes ist so unbegrenzt, wie die des menschlichen Antlitzes, mit dem Unterschied, dass Masken auch ausdrücken können, wozu das menschliche Gesicht außerstande ist: das Unmenschliche. Doch Masken können auch Tiere, mythologische Geschöpfe oder jede andere Form fantastischer Tarnung bedeuten. Das Prinzip der Maske beruht auf dem Phänomen der Pareidolie, der Neigung des menschlichen Gehirns, sich an neue Wahrnehmungen anzupassen und sie mittels bereits bekannter Kategorien zu identifizieren. Sie ist der Grund dafür, dass man in Alltagsgegenständen vertraute Formen entdeckt, denn Menschen neigen dazu, Gesichter in Objekten wahrzunehmen, die diesen ähneln. Die Pareidolie lässt uns auch Formen in Wolken erkennen, aber auch Gesichter in jeder Form, die von Nah oder Fern an eine Kombination von Augen, Nase und Mund erinnert. Was also könnte ausdrucksstärker sein als eine Maske? Das Objekt selbst spielt mit unseren Sinnen und steigert dadurch seine Expressivität. In all ihren Erscheinungsarten ist die Maske wesensgemäß visuell und in ihren vielfältigsten Typologien bildnerisch. Dank der Pareidolie kann die Maske als Träger aller erdenklichen Wesenstypen dienen – vom einfachsten zum kompliziertesten.

Diese Expressivität der Maske wurde bereits 1915 von Carl Einstein in seinem Buch *Negerplastik* analysiert und auf den Punkt gebracht. Aus seiner Sicht repräsentierte die von ihm abgebildete afrikanische Maske den Inbegriff der unmenschlichen, unpersönlichen und in ihrer Unveränderlichkeit fixierten Intensität (Abb. 1).[2] In dieser Unveränderlichkeit, von anderen als »die zeitlose Unveränderlichkeit der Maske« bezeichnet,[3] sieht er also die höchste Stufe der von ihrem psychologischen Ursprung befreiten Ausdruckskraft. Die »primitive« Maske ist, wenn sie sich denn von anderen Masken unterscheiden lässt, kein Ausdruck von Gleichgültigkeit, sondern Einstein zufolge »das Erzeugnis einer geläuterten Struktur«, die »einen Zustand unbeweglicher Ekstase« erzeugt.[4] Diese unbewegliche Ekstase wird die eigentliche Herausforderung für die primitivistische »Entlehnung«. Sie geht von einem »omnidirektionellen«, von jeglicher Perspektive befreiten Blick aus, einem unbeweglichen Auge, in dem sämtliche die Existenz des Raumes definierenden Dimensionen in einer Art erhabenem Punkt der Wahrnehmung zusammenfinden.[5]

Die Maske ist wiederum der Punkt, an dem die visuellen, emotionalen und kontextuellen Kriterien der Analyse der Primitivismen aufeinandertreffen. Was ist augenfälliger als die Maske, in der die Expressivität auf die Spitze getrieben wird? Was gibt es Emotionaleres als die Maske, Quelle der Faszination, der Angst und der Emotionen? Und was gibt es, das stärker von einem Kontext abhängt, als die Maske, das markanteste Zeichen des Einflusses der außereuropäischen Künste auf die primitivistischen Künstler? Doch die Maske muss hinsichtlich der Frage des Primitivismus immer in Verbindung mit dem Gesicht studiert werden, denn die Revolution des Gesichts, die mit der primitivistischen Revolution stattfindet, lässt die Maske und das Gesicht miteinander verschmelzen. Gleich dem Körper wird auch das Gesicht in seine Einzelteile zerlegt und umstrukturiert. Modigliani, Picasso, Matisse, Derain und Brancusi – sie alle suchen in ihren Werken nach neuen Ausdrucksweisen, die zugleich rein, vereinfacht und in einer seltenen Intensität erstarrt sind.

Abb. 1 | Porträtmaske, Baule, Elfenbeinküste, vor 1913
Holz, 25,4 × 11,4 × 10,2 cm
The Metropolitan Museum of Art, New York.
Legat Adrienne Minassian
Von Carl Einstein 1915 in *Negerplastik* abgebildet.

So sind Brancusis Skulpturen der 1910er- und 1920er-Jahre völlig von diesen visuellen und emotionalen Einflüssen durchdrungen. Und bei der Betrachtung des zeichnerischen Werks Pablo Picassos jener Zeit wird man zum Zeugen einer langsamen Entwicklung vom Gesicht zur Maske und von der Maske zum Gesicht. Diese Arbeit wird ihn schließlich dazu führen, ein zweidimensionales Gesicht zu erschaffen, dessen Struktur völlig abgeflacht ist, sodass der Raumeindruck und die Schatten verschwinden.[6]

Die Kunst der Maske ermöglichte die Befreiung der Skulptur – oder vielmehr der Plastizität als reinem Raumgedanken – von jeglichem pikturalen Erscheinungsbild – und damit jedweder optischen Illusion.[7] Es ist möglich, dass Modigliani diese bildnerische Eigenschaft der Maske begriffen und sie seiner Skulptur eingehaucht hat. Als er einsehen musste, dass es ihm seine Gesundheit nicht mehr erlaubte, Skulpturen zu schaffen, übertrug er diesen bildnerischen Kunstgriff auf seine Malerei und machte seine Gesichter – vielleicht könnte man sogar von seinen »Masken« sprechen? – so außerordentlich expressiv. Das Porträt seines Freundes Diego Rivera zeichnet sich genau durch diese Wirkung aus, denn das Gesicht ist darin völlig vom übrigen Körper losgelöst (Kat. 109). Die Art und Weise, wie Modigliani das Gesicht darstellte, veranschaulicht die Wechselbeziehung durch den Tausch der Blicke zwischen den Dargestellten und dem Betrachter. Diese wechselseitige Spannung zeigt sich im Blick durch »den Anderen« und könnte bereits ein hinreichender Grund sein, um dieses oder jenes Werk als »primitivistisch« zu bezeichnen. Die Spannung entsteht nämlich durch die Begegnung zweier unterschiedlicher bildnerischer Traditionen, erzeugt einen neuen Stil und führt so zu einer neuen Art, Objekte zu interpretieren, die aus anderen Zivilisationen stammen. Die Maske dient also der Kommunikation zwischen zwei bildnerischen Traditionen und konfrontiert die »primitivistische« Aneignung mit dem »modernen« Ausdruck.

1 Pierre Larousse, *Grand Dictionnaire universel du XIXe siècle: français, historique, géographique, mythologique, bibliographique*, Bd. 10, Paris 1866–1877, S. 1302.
2 Carl Einstein, *Negerplastik*, Leipzig 1915, S. 353.
3 Christine Marret, »Le Primitivisme moderne: appropriations, emprunts et détournements. ›Les Carnets des Demoiselles d'Avignon‹«, in: *Genesis. Manuscrits – Recherche – Invention* 15, 2000, S. 39.
4 Einstein 1915, S. 353.
5 Carlo Severi, »L'Empathie primitiviste«, in: *Images re-vues*, Sonderausgabe 1, 2008.
6 Marret 2000, S.38.
7 Severi 2008.

107 | Amedeo Modigliani
Frauenkopf, 1914/15
Privatbesitz

modigliani

108 | **Amedeo Modigliani**
Diego Rivera, 1914
Privatsammlung

109 | **Amedeo Modigliani**
Diego Rivera, 1914
Kunstsammlung
Nordrhein-Westfalen,
Düsseldorf

110 | Pablo Picasso
Kopf des Medizinstudenten, Studie zu
Les Demoiselles d'Avignon, 1907
Museum of Modern Art, New York. A. Conger
Goodyear Fonds

111 | **Anthropomorphe Maske, Gabun,**
19. Jahrhundert
Musée du Quai Branly – Jacques Chirac, Paris,
ehemals Sammlung Paul Guillaume

112 | Amedeo Modigliani
Pablo Picasso, 1914/15
Privatsammlung, Ukraine

SAVOIR

113 | **Pablo Picasso**
Frauenkopf, 1908
Landesmuseum Mainz

114 | **Maske, Fang, Gabun**
Musée du Quai Branly –
Jacques Chirac, Paris

115 | Pablo Picasso
Brustbild eines Mannes, Studie zu
Les Demoiselles d'Avignon, 1907
Musée National Picasso-Paris

116 | Pablo Picasso
Frauenkopf, 1908
Museum of Modern Art, New York.
Legat Florene May Schoenborn

117 | Amedeo Modigliani
Die Algerierin (Almaïsa), 1917
Museum Ludwig, Köln

118 | Amedeo Modigliani
Porträt einer jungen Frau (Louise), 1915
Triton Collection Foundation

119 | Constantin Brancusi
Baronin R. F. (Frauenkopf), 1909
Sammlung David Grob

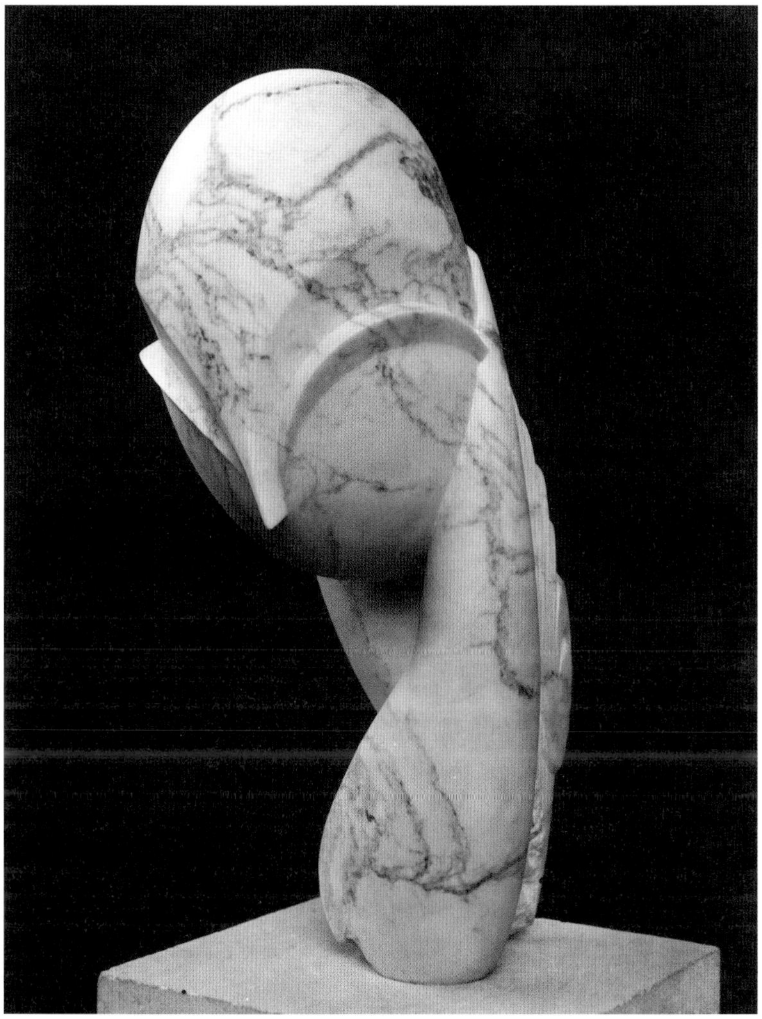

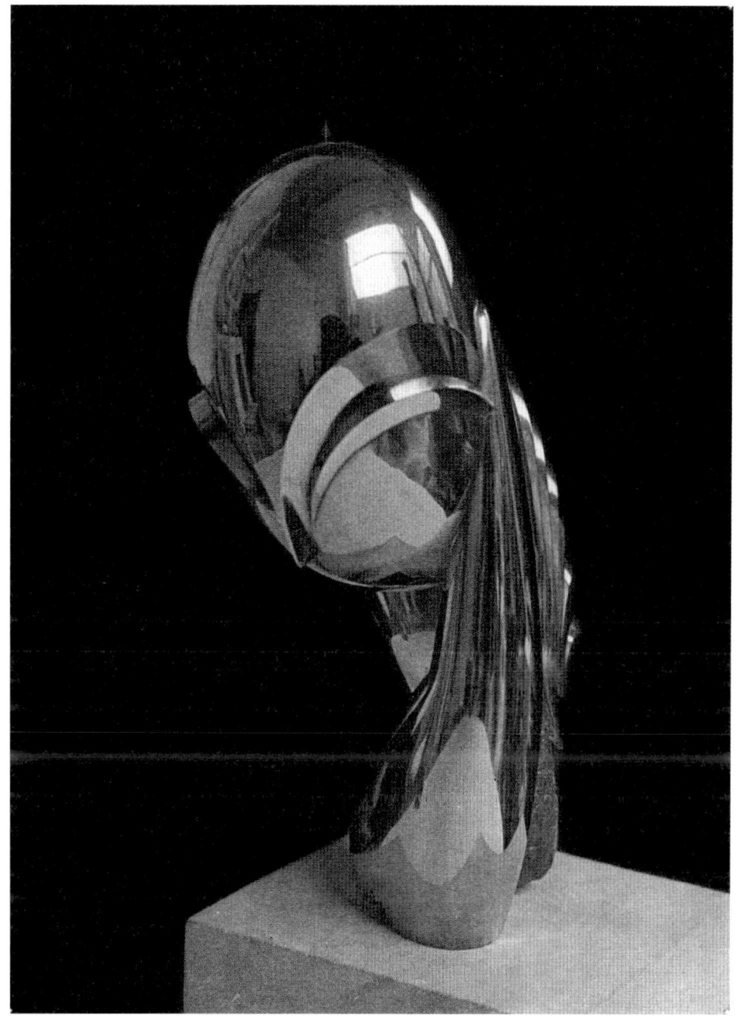

120 | **Constantin Brancusi**
Mademoiselle Pogany II, Dreiviertelansicht, 1920
Sammlung David Grob

121 | **Constantin Brancusi**
Mademoiselle Pogany, Dreiviertelansicht, 1920
Sammlung David Grob

122 | **Constantin Brancusi**
Mademoiselle Pogany, Frontalansicht, 1914/1920
Sammlung David Grob

123 | **Constantin Brancusi**
Mademoiselle Pogany I, 1913
Speed Art Museum, Louisville.
Legat Mrs. Mabel Hussey Degen

124 | **Constantin Brancusi**
Narziss, 1925
Sammlung David Grob

125 | **Constantin Brancusi**
Danaïde, um 1924
Sammlung David Grob

126 | **Constantin Brancusi**
Der Neugeborene [I], 1915
Philadelphia Museum of Art.
Sammlung Louise und Walter
Arensberg

Chronologie

1884

Am 12. Juli wird Amedeo Modigliani in der italienischen Hafenstadt Livorno als viertes und jüngstes Kind sephardisch-jüdischer Eltern geboren.

1902/03

Modigliani studiert Malerei an den Akademien von Florenz und Venedig sowie Bildhauerei in Carrara.

1903

Pablo Picasso arbeitet seit seiner Übersiedelung mit 22 Jahren von Spanien nach Paris bis 1909 im Bateau-Lavoir, einem Atelierhaus am Montmartre, das in den Folgejahren zum Laboratorium der Moderne wird. Er orientiert sich vorerst an Henri Toulouse-Lautrec. In den Bildern seiner »Blauen Periode« (1901–1904) schildert Picasso die Armut, Einsamkeit und Verzweiflung seiner schlanken Figuren in dunklen Blautönen.

Die Zeit war gekennzeichnet von der Ablehnung der Académie des Beaux-Arts und des von ihr eingerichteten Salon de Paris, dessen Jury über die Anerkennung von Künstlern entschied, durch die Künstler der Avantgarde. Nachdem bereits 1884 der Salon des Indépendants gegründet wurde, wird 1903 der Salon d'Automne eingerichtet, um – ebenso in Opposition zum offiziellen Salon – die *en-plein-air* gemalten Bilder des Sommers zu zeigen.

Livorno, Postkarte von Modigliani an Paul Alexandre, April/Mai 1913

Das Bateau-Lavoir, Place Ravignan, Montmartre, Paris

Linke Seite:
Amedeo Modigliani in seinem Atelier, Rue Ravignan, Montmartre, 1915, fotografiert von Paul Guillaume

Paul Gauguin, *Ia Orana Maria*, 1891
The Metropolitan Museum of Art, New York. Nachlass Sam A. Lewisohn

Henri Matisse, *Frau mit Hut*, 1905
San Francisco Museum of Modern Art. Nachlass Elise S. Haas

Pablo Picasso, *Gertrude Stein*, 1905/06
The Metropolitan Museum of Art, New York. Nachlass Gertrude Stein

Musée du Louvre, Ägyptische Abteilung

1904

Constantin Brancusi geht mit 28 Jahren von Rumänien nach Paris und studiert dort an der Académie des Beaux-Arts Bildhauerei.

Die Ausstellung der London-Bilder Claude Monets in der Galerie Paul Durand-Ruel hat großen Erfolg.

1905

Am Salon d'Automne erregen die »Fauves« (»die wilden Tiere«) um Henri Matisse und André Derain Aufsehen mit ihren von Paul Cézanne, Vincent van Gogh und Paul Gauguin, dem Neoimpressionismus und der afrikanischen Plastik inspirierten, antinaturalistischen Farbharmonien und -kontrasten sowie der Deformation des Dargestellten, die man bisher nur von der Karikatur kannte.

Auf Picassos »Blaue Periode« folgt die von einer positiveren Grundstimmung getragene, den *Saltimbanques* gewidmete »Rosa Periode« (1904–1906).

1906

Mit 22 Jahren geht Modigliani nach Paris und schließt sich dem Kreis um Max Jacob, Picasso, André Derain, Kees van Dongen, Maurice de Vlaminck, Juan Gris und Guillaume Apollinaire im Bateau-Lavoir an. Modigliani hat auch Kontakt zu Gino Severini und besucht die Cafés und Variétés des Montmartre. Er nimmt an den Aktkursen der Académie Colarossi teil und orientiert sich zunächst an Toulouse-Lautrec und Gauguin, wahrscheinlich dem Vorbild Picassos, vor allem dessen »Blauer Periode«, folgend.

Im März entdeckt Derain im British Museum in London die außereuropäischen Plastiken für sich, woraufhin er in Stein zu arbeiten beginnt. Matisse und Derain erwerben ihre ersten afrikanischen Masken. Matisse zeigt Picasso bei Gertrude Stein eine von ihm erworbene afrikanische Maske. Picasso entdeckt bei einem Besuch des Louvre die prähistorische iberische Plastik für sich. Zusammen mit den Werken der »Fauves«, Jean-Auguste-Dominique Ingres' und Cézannes', die er im Herbstsalon im Jahr zuvor sah, inspirieren sie ihn zu seinen Vorarbeiten an den *Demoiselles d'Avignon* und zu seinem Bildnis Gertrude Steins, das er nach seiner Rückkehr aus Gósol vollendet. Picassos »afrikanische Periode« (1906–1909) beginnt. Ermutigt von der Ausdruckskraft von ihm bewunderter »primitiver« Kunst reduziert er die Gesichtszüge auf das Wesentliche und gibt sie maskenhaft wieder.

Paul Gauguin, der 1903 verstarb, wird im Salon d'Automne eine Gedächtnisausstellung mit zweihundert Arbeiten gewidmet.

1907

Der Arzt und Kunstsammler Paul Alexandre wird Modiglianis Förderer. Modigliani arbeitet bis 1909 in dessen Atelierhaus in der Rue du Delta am Montmartre, wo er Brancusi kennenlernt. Er besucht die Galerie von Joseph Brummer am Montparnasse, das Musée d'Ethnographie und das Musée Indochinois am Trocadéro, die 1882 als Folge der dritten Weltausstellung und des Kolonialismus eröffnet wurden, doch seitens der Künstler bisher keine Beachtung fanden. 1910/11 besucht er mit seiner späteren Freundin, der russischen Dichterin Anna Achmatowa die ägyptische Abteilung des Louvre.

Im Frühjahr findet Picassos erster Besuch des Musée d'Ethnographie am Trocadéro statt. Außerdem beeindrucken diesen die im Salon des Indépendants ausgestellten Gemälde *Blauer Akt (Erinnerung an Biskra)* von Matisse und Derains *Große Badende*. Die Vollendung der *Demoiselles d'Avignon* im Sommer stellt den Höhepunkt der protokubistischen Periode Picassos dar. Bis zu seiner ersten Ausstellung im Juli 1916 im Salon d'Antin erlaubt Picasso

Paul Alexandre, 1909

Das Atelierhaus in der Rue du Delta, 1913, fotografiert von Maurice Drouard

André Derain in seinem Atelier am Montmartre, 1908

Das Atelier André Derains am Montmartre, um 1908

Pablo Picasso in seinem Atelier im Bateau-Lavoir, Montmartre, 1908

nur ausgewählten Freunden, das Gemälde in seinem Atelier im Bateau-Lavoir zu besichtigen, wie sehr wahrscheinlich auch Modigliani, der Picasso damals laut Fernande Olivier häufig trifft.

Brancusi nimmt eine Stelle als Assistent in Auguste Rodins Atelier an, kündigt jedoch nach nur einem Monat und widmet sich unter dem Eindruck der Gauguin-Ausstellung von 1906 der bereits in Rumänien erlernten Holzschnitzerei. Außerdem verwendet er Findlinge und beginnt, in Opposition zu Rodin, direkt aus diesen herauszuarbeiten.

Paul Cézanne, der 1906 verstorben ist, werden am Salon d'Automne und in der Galerie von Gaston Bernheim-Jeune Retrospektiven gewidmet. Auch sieben Werke Modiglianis werden im Salon d'Automne gezeigt.

1908

Modigliani ist mit sechs Gemälden am Salon des Indépendants vertreten. Wie Picasso, Georges Braque und Derain orientiert er sich unter dem Eindruck der Retrospektiven von 1907 an Cézanne.

Picasso und Braque entwickeln in enger Zusammenarbeit den Kubismus, der einen endgültigen Bruch mit der illusionistischen Malerei des Salons bedeutet.

1909

Modigliani arbeitet bis 1914 fast ausschließlich als Bildhauer. Nach einer Reise nach Livorno im Sommer – wahrscheinlich mit Brancusi – übersiedelt er mit diesem an den Montparnasse in die Künstlerkolonie der Cité Falguière, wo er in Nachbarschaft mit Brancusi lebt und arbeitet. Bis zum Abriss von Paul Alexandres Atelierhaus in der Rue du Delta im Jahr 1913 verkehrt er dort weiterhin. Unter dem Eindruck des kurz zuvor verstorbenen Paul Gauguin arbeiten die beiden in der Technik der »taille directe« unmittelbar aus dem Stein heraus und folgen dem Stil des sich an Formen archaischer, ägyptischer, ostasiatischer und afrikanischer Artefakte orientierenden Primitivismus. Modigliani arbeitet an einem nie realisierten Temple de la Volupté (»Tempel der Wollust«). Die strenge, überlängte Form seiner Steinskulpturen wird ab 1914 auch für seine Malerei stilprägend.

1910

Modigliani ist mit sechs Arbeiten am Salon des Indépendants vertreten. Paul Guillaume, später einer der wichtigsten Pariser Galeristen zeitgenössischer Kunst und Förderer Modiglianis ab 1914, ist um 1910 maßgeblich an der Entdeckung der afrikanischen Kunst durch die Pariser Künstler der Avantgarde beteiligt. Als junger Angestellter einer Autowerkstatt stellt er eine afrikanische Figur, die er in einer Kautschuklieferung aus Afrika findet, in die Auslage, wo sie Guillaume Apollinaire entdeckt. In der Folge handelt er vorerst mit afrikanischer Plastik, ab etwa 1915 verfasst er erste Publikationen über die Kunst Afrikas.

1911

Modigliani stellt seine Skulpturen erstmals im Atelier des portugiesischen Künstlers Amadeo de Souza-Cardoso aus. Am Salon des Indépendants treten neben Picasso und Braque erstmals die sogenannten »Salonkubisten« um Fernand Léger und Robert Delaunay in Erscheinung . Von diesen distanzieren sich Picasso und Braque, die den analytischen Kubismus entwickeln (1909–1912).

Das Atelier von Amedeo Modigliani in der Cité Falguière, Montparnasse

Paul Guillaume in seinem Büro in der Rue Miromesnil, um 1914

1912

Sieben Skulpturen Modiglianis werden am Salon d'Automne als »Ensemble décoratif« im Raum der Kubisten präsentiert.

Viele Künstler des Montmartre und des Bateau-Lavoir siedeln sich am Montparnasse an, wo sie regelmäßig im Café de La Rotonde und Café du Dôme verkehren, darunter Picasso. Dieser entwickelt zusammen mit Braque und Gris den synthetischen Kubismus (1912–1914), der die Collage in die Malerei miteinbezieht.

1913

Carl Einsteins Ausstellung *Picasso. Negerplastik* in der Neuen Galerie in Berlin präsentiert Picasso neben afrikanischen Plastiken. Sie wird im Januar 1914 auch im Kunstsalon Emil Richter in Dresden gezeigt.

Modigliani verkehrt am Montparnasse mit Jacques Lipchitz, Carlo Carrà und Giorgio de Chirico. Im Frühsommer fährt er nach Livorno und Carrara, um dort in Marmor zu arbeiten und scheitert wohl an seiner schlechten gesundheitlichen Verfassung.

1914

Modigliani gibt die Bildhauerei auf. Sein bisheriger Förderer Paul Alexandre wird als Arzt in den Krieg einberufen. Mit seiner Freundin, der englischen Schriftstellerin Beatrice Hastings, zieht Modigliani in ein kleines Haus am Montmartre. Nach Ausbruch des Ersten Weltkriegs verkehrt er im Kreis der École de Paris um Chaïm Soutine und Moïse Kisling am Montparnasse. Ihr Alkohol- und Drogenkonsum wird Thema in der Presse. Modigliani arbeitet in verschiedenen Ateliers seiner Freunde am Montparnasse, wie zum Beispiel bei Diego Rivera, der 1911 nach Paris kommt und im Kreis Picassos verkehrt. Modigliani porträtiert die beiden mehrfach.

Paul Guillaume wird Modiglianis neuer Förderer. Er mietet für ihn ein Atelier in der Nähe des Bateau-Lavoir am Montmartre und überzeugt ihn davon, zur Malerei zurückzukehren. Modigliani widmet sich vorerst aus-

Ausstellung von Skulpturen Modiglianis im Atelier von Amadeo de Souza-Cardoso, 1911

Salon d'Automne, 1912, der Raum der Kubisten mit Skulpturen Modiglianis

Rechte Seite:
Übersiedelung aus dem Atelierhaus in der Rue du Delta 7 in die Place Dancourt 10, 1913

schließlich dem Porträt seiner Künstlerfreunde sowie dem anonymisierten, idealisierten Damenbildnis. Er führt den Stil seines skulpturalen Werks fort, orientiert sich außerdem am Fauvismus und Kubismus. Seine Werke beginnen sich zu verkaufen, an französische und skandinavische Sammler sowie nach New York.

Modigliani ist mit zwei Werken, darunter eine Skulptur (ein Kopf, Tate, London), in der »Jewish Section« der Ausstellung *Twentieth Century Art* der Whitechapel Gallery in London vertreten.

Braque und Derain werden zum Militärdienst eingezogen. Picasso bleibt ohne seine Freunde in Paris zurück und wendet sich langsam vom Kubismus ab. Von 1916 bis 1924 arbeitet er sowohl im kubistischen als auch klassizistischen Stil.

1915

Carl Einsteins Buch *Negerplastik* erscheint im Leipziger Verlag der Weißen Bücher.

In die Picasso-Braque-Ausstellung in der New Yorker Gallery 291 werden auch afrikanische und präkolumbianische Plastiken integriert.

1916

Nachdem der Umgang für Paul Guillaume mit Modigliani immer schwieriger wurde, übernimmt der Kunsthändler Leopold Zborowski den direkten Kontakt mit Modigliani, teils als Zwischenhändler. Er regt ihn zur Aktmalerei an und ermöglicht ihm dies mit eigens dafür angemieteten Räumlichkeiten in seinem Atelierhaus in der Rue Joseph Bara am Montparnasse sowie mit der Vermittlung und Bezahlung der Modelle. Es entstehen über zwanzig Akte.

Constantin Brancusi in seinem Atelier am Montparnasse, um 1915

Manuel Ortiz de Zárate, Moïse Kisling, Paquerette und Picasso im Café de La Rotonde, Montparnasse, 1916

Linke Seite:
Modigliani, Picasso und André Salmon vor dem Café de La Rotonde, Montparnasse, 1916

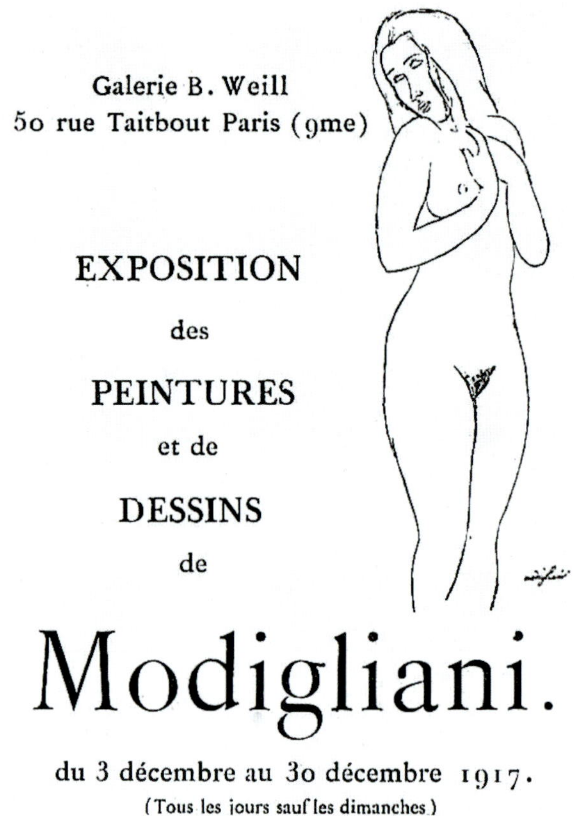

Leopold Zborowski in seiner Wohnung, vor einer von Modigliani mit dem Porträt Chaïm Soutines bemalten Tür

Katalog der Ausstellung Modiglianis in der Galerie Berthe Weill, 1917

Rechte Seite:
Amedeo Modigliani in seinem Atelier, Rue Ravignan, Montmartre, 1915, fotografiert von Paul Guillaume

André Salmon organisiert in Paul Poirets Galerie Barbazanges die Ausstellung *L'Art moderne en France*, genannt „Salon d'Antin", in der Picassos *Demoiselles d'Avignon* erstmals öffentlich neben Werken von Künstlern des Montparnasse, darunter Modigliani, ausgestellt werden.

In der Ausstellung *Modern Art* in der Modern Gallery von Marius de Zayas in New York werden zwei von Modiglianis Sandsteinköpfen gezeigt (einer in der Kunsthalle Karlsruhe; Kat. 77). Marius de Zayas publiziert *African Negro Art*. Die Ausstellung *Lyre et Palette* in der Rue Huyghens am Montparnasse stellt Werke von Kisling, Matisse, Modigliani, Manuel Ortiz de Zárate und Picasso fünfundzwanzig afrikanischen Plastiken aus Paul Guillaumes Sammlung gegenüber.

Erste Dada-Abende, die »Soirées nègres«, finden im Cabaret Voltaire statt, wo Werke Modiglianis neben jenen Hans Arps, Marcel Jancos, August Mackes und Picassos gezeigt werden.

1917

Modigliani lernt in der Académie Colarossi seine große Liebe, die junge Kunststudentin Jeanne Hébuterne, kennen. Im Sommer verlässt er Beatrice Hastings, um mit Jeanne Hébuterne zusammenzuziehen. Die beiden wohnen nun in der Rue de la Grande Chaumière am Montparnasse.

Im Dezember 1917 findet die einzige Einzelausstellung von Werken Modiglianis zu seinen Lebzeiten statt. In der Galerie Berthe Weill werden zweiunddreißig Werke gezeigt, davon zwanzig Akte. Die Ausstellung wird zum Skandal, der als die »Affaire rue Taitbout« (nach der Adresse der Galerie) in die Geschichte eingeht. Nachdem die Polizei wegen des Delikts der »offense à la pudeur« (»Sittlichkeitsvergehen«) mit Konfiszierung droht, müssen die Akte,

Folgende Doppelseite:
Paul Guillaume, Angelica Archipenko und Modigliani auf der Promenade des Anglais, Nizza, 1918

die man – als Provokation der gegenüberliegenden Polizeiinspektion – in die Auslage gehängt hatte, abgenommen werden. Die Ausstellung wird daraufhin zwar nicht geschlossen, doch es werden nur zwei Zeichnungen verkauft. Werke Modiglianis werden im Mai in der Galerie Dada in Zürich gezeigt.

1918/19

Modigliani und Jeanne Hébuterne fliehen vor den deutschen Bomben nach Nizza und Cagnes-sur-Mer, wo sie über ein Jahr bleiben. Im November kommt in Nizza ihre gemeinsame Tochter Jeanne zur Welt. Ihre Hochzeit scheitert an den erforderlichen Dokumenten, die Modigliani dafür aus Italien und Frankreich benötigen würde. Stattdessen schreibt er Jeanne Hébuterne im Juli 1919 eine Bescheinigung, dass es seine Absicht ist, sie zu heiraten. Modigliani besucht Pierre-Auguste Renoir in seiner Villa »Les Collettes«.

Der sogenannte klassizistische Stil der Spätzeit Modiglianis mit langgezogenen, gerundeten Konturen und locker aufgetragenen Pastelltönen bildet sich heraus. Modigliani malt erstmals Porträts von Kindern, Verkäuferinnen und Dienstmädchen.

Im August werden in der Ausstellung *Exhibition of French Art 1914–1919* in der Mansard Gallery in London neben Werken weiterer Künstler des Montparnasse neun Gemälde und fünfzig Zeichnungen Modiglianis präsentiert. Modigliani ist am Salon d'Automne von 1919 vertreten.

1920

Modigliani stirbt mit nur 35 Jahren am 24. Januar im Pariser Hôpital de la Charité an tuberkulöser Meningitis. Zwei Tage später begeht die erneut schwangere Jeanne Hébuterne Selbstmord. Ihre erst vierzehn Monate alte Tochter Jeanne wird von Modiglianis Schwester in Livorno adoptiert.

Totenmaske Amedeo Modiglianis, von Jacques Lipchitz gefertigt, 1920

Linke Seite:
Jeanne Hébuterne, 1919

Folgende Doppelseite:
Pablo Picasso mit seinem Sohn Paulo und Jacqueline Roque in seiner Kunstsammlung, Château de Vauvenargues, 1959, fotografiert von David Douglas Duncan

Verzeichnis der ausgestellten Werke

AMEDEO MODIGLIANI

Akrobat, um 1910/11
Violetter Buntstift auf Papier
40 × 26,6 cm
Paul Alexandre Family, courtesy of Nathanson Fine Art, London
Kat. 65 | S. 129

Karyatide mit Halskette und Perlengürtel, 1911
Schwarzer Buntstift auf Papier
42,9 × 26,7 cm
Musée des Beaux-Arts, Rouen
Kat. 23 | S. 80 r.

Kniende Karyatide (Anna Achmatowa?), 1911
Blauer Buntstift auf Papier
43,2 × 25,4 cm
Privatsammlung
Kat. 6 | S. 61

Auf einem Sockel kniende Karyatide mit brennenden Kerzen, um 1911
Schwarzer Buntstift auf Papier
42,7 × 26 cm
Paul Alexandre Family, courtesy of Nathanson Fine Art, London
Kat. 28 | S. 85 l.

Auf einem Sockel sitzende Karyatide mit brennenden Kerzen, um 1911
Schwarzer Buntstift auf Papier
42,8 × 26,5 cm
Privatsammlung
Kat. 29 | S. 85 r.

Kopf auf einem Sockel, um 1911
Schwarzer Buntstift
42,8 × 26,5 cm
Paul Alexandre Family, courtesy of Nathanson Fine Art, London
Kat. 75 | S. 142 l.

Kopf im Profil mit Ohrring und Halskette, um 1911
Schwarzer Buntstift auf Papier
42,7 × 26,5 cm
Paul Alexandre Family, courtesy of Nathanson Fine Art, London
Kat. 81 | S. 147 l.

Männlicher Akt mit seitwärts ausgebreiteten Armen, um 1911
Schwarzer Buntstift auf Papier
42,8 × 26,7 cm
Paul Alexandre Family, courtesy of Nathanson Fine Art, London
Kat. 3 | S. 58

Pierrot mit Halskrause, um 1911
Schwarzer Buntstift auf Papier
43,9 × 26,9 cm
Paul Alexandre Family, courtesy of Nathanson Fine Art, London
Kat. 73 | S. 140

Studie eines Kopfes mit Halskette, um 1911
Schwarzer Buntstift auf Papier
27,4 × 22,7 cm
Paul Alexandre Family, courtesy of Nathanson Fine Art, London
Kat. 76 | S. 142 r.

Weiblicher Akt im Profil, das Gesicht von Leuchtern gerahmt, im Vordergrund eine brennende Kerze (Anna Achmatowa), um 1911
Schwarzer Buntstift auf Papier
42,9 × 26,4 cm
Privatsammlung
Kat. 64 | S. 128

Weiblicher Akt mit angewinkelten Armen und tätowiertem Gesicht, um 1911
Schwarzer Buntstift auf Papier
42,9 × 26,7 cm
Musée des Beaux-Arts, Rouen
Kat. 4 | S. 59

Weiblicher Akt mit verschränkten Armen, um 1911
Schwarzer Buntstift auf Papier
42,9 × 26,7 cm
Paul Alexandre Family, courtesy of Nathanson Fine Art, London
Kat. 43 | S. 102 r.

Kopf, 1911/12
Kalksandstein
65,4 × 17,1 × 21,3 cm
Minneapolis Institute of Arts. Schenkung Mr. und Mrs. John Cowles
Kat. 80 | S. 146

Kopf, 1911/12
Tinte, mit weißem Pigment vermischt, auf kariertem Papier
20,8 × 13,2 cm
Paul Alexandre Family, courtesy of Nathanson Fine Art, London
Kat. 83 | S. 148 l.

Kopf im Profil mit der Skizze eines Gesichtes in Halshöhe, 1911/12
Schwarzer Buntstift auf Papier
42,7 × 26,4 cm
Musée des Beaux-Arts, Rouen
Kat. 82 | S. 147 r.

Kopf mit Stirnfransen, Ohrringen und Halskette, 1911/12
Schwarzer Buntstift auf Papier
33,8 × 26,5 cm
Paul Alexandre Family, courtesy of Nathanson Fine Art, London
Kat. 84 | S. 148 r.

Stehende Karyatide mit emporgehobenen Armen, um 1911/12
Schwarzer Buntstift auf Papier
47,5 × 31,5 cm
Privatsammlung, Paris
Kat. 22 | S. 80 l.

Kopf mit verziertem Sockel, 1912
Kalksandstein
70,5 × 23,5 × 16,5 cm
Philadelphia Museum of Art. Schenkung Mrs. Maurice J. Speiser in Erinnerung an ihren Mann
Kat. 78 | S. 144

Karyatide, um 1912–1914
Blauer Buntstift und Bleistift auf Papier
61 × 45,7 cm
Philadelphia Museum of Art. Sammlung Louise und Walter Arensberg
Kat. 30 | S. 86 l.

Große rote Büste, 1913
Öl auf Karton
81,5 × 51 cm
Privatsammlung
Kat. 1 | S. 57

Karyatide, 1913
Öl auf Leinwand
80 × 45,8 cm
Privatsammlung
Kat. 21 | S. 79

Kopf, 1913
Kalksandstein
64 × 15,5 × 21,8 cm
Staatliche Kunsthalle Karlsruhe
Kat. 77 | S. 143

Rosa Karyatide, 1913
Aquarell und Gouache auf Papier
54 × 44 cm
Sammlung Mr. und Mrs. James Rothschild
Kat. 34 | S. 89

Karyatide, um 1913
Blauer und schwarzer Buntstift auf Papier
56,5 × 45 cm
Stiftungsfonds Jonas Netter
Kat. 32 | S. 87

Beatrice Hastings, den Kopf in die rechte Hand gestützt, 1914
Öl auf Papier
42 × 25 cm
Stiftungsfonds Jonas Netter
Kat. 87 | S. 151

Diego Rivera, 1914
Öl auf Karton
104 × 75 cm
Kunstsammlung Nordrhein-Westfalen, Düsseldorf. Erworben 1986 aus Spenden der nordrhein-westfälischen Wirtschaft und aus Landesmitteln über die Gesellschaft der Freunde der Kunstsammlung Nordrhein-Westfalen e. V.
Kat. 109 | S. 175

Diego Rivera, 1914
Bleistift auf Papier, auf Karton montiert
33 × 25,5 cm
Privatsammlung
Kat. 108 | S. 174

Karyatide, 1914
Tinte und Gouache auf Papier
57,8 × 47 cm
Museum of Modern Art, New York. Legat Mrs. Harriet H. Jonas
Kat. 35 | S. 90

Karyatide mit Vase, um 1914
Aquarell, Bleistift und blauer Buntstift auf Papier
63,3 × 48,1 cm
Tate, London. Legat Mrs. A. F. Kessler
Kat. 68 | S. 132

Kniende Karyatide, um 1914
Bleistift und Aquarell auf Papier
46 × 33 cm
Privatsammlung, Paris
Kat. 31 | S. 86 r.

Frauenkopf, 1914/15
Öl auf Karton
48 × 36 cm
Privatbesitz
Kat. 107 | S. 173

Pablo Picasso, 1914/15
Öl auf Papier, auf Karton montiert
34,2 × 26,5 cm
Privatsammlung, Ukraine
Kat. 112 | S. 177

Baranowski, 1915
Öl auf Papier, auf Leinwand kaschiert
65 × 46 cm
Privatsammlung, Paris
Kat. 86 | S. 150

Beatrice Hastings, 1915
Öl auf Leinwand
53 × 35 cm
Privatsammlung, courtesy Raphaël Roux dit Buisson, Du Lac Fine Art, Paris
Kat. 88 | S. 152

Lola de Valence, 1915
Öl auf Papier, auf Holz kaschiert
52,1 × 33,7 cm
The Metropolitan Museum of Art, New York. Legat Miss Adelaide Milton de Groot
Kat. 79 | S. 145

Madame Hastings, 1915
Tuschfeder, laviert, auf kariertem Papier
Bleistift
27,2 × 21 cm
Albertina, Wien
Kat. 90 | S. 154 l.

Max Jacob, 1915
Bleistift auf Papier
29,5 × 22,5 cm
Privatsammlung
Kat. 16 | S. 70 r.

Pablo Picasso, 1915
Öl auf Papier
43 × 27 cm
Privatsammlung
Kat. 72 | S. 139

Paul Guillaume (Verso von Kat. 90), 1915
Bleistift auf kariertem Papier
27,2 × 21 cm
Albertina, Wien
Kat. 91 | S. 154 r.

Porträt einer jungen Frau (Louise), 1915
Öl auf Karton
51 × 37 cm
Triton Collection Foundation
Kat. 118 | S. 183

Raimondo, 1915
Öl auf Karton
62 × 43 cm
Alsdorf Collection
Kat. 93 | S. 156

Selbstbildnis als Pierrot, 1915
Öl auf Karton
43 × 27 cm
Statens Museum for Kunst, Kopenhagen
Kat. 74 | S. 141

Porträt einer jungen Frau, um 1915
Öl auf Karton
70 × 52,4 cm
The Syndics of the Fitzwilliam Museum, University of Cambridge. Accepted in lieu of Inheritance Tax by H. M. Government
Kat. 92 | S. 155

Chaïm Soutine, 1916
Öl auf Leinwand
Bildträger: 100 × 65 cm
Stiftungsfonds Jonas Netter
Kat. 14 | S. 69

Chaïm Soutine, 1916
Bleistift auf Papier
42 × 26 cm
Stiftungsfonds Jonas Netter
Kat. 13 | S. 68

Die schöne Konditorin, 1916
Öl auf Leinwand
100 × 75 cm
Privatsammlung Marina Ruiz-Picasso
Kat.46 | S. 105

Hanka Zborowska, 1916
Öl auf Leinwand
46,5 × 38,5 cm
Privatsammlung
Kat. 96 | S. 159

Leopold Zborowski, 1916
Öl auf Leinwand
46 × 27 cm
Stiftungsfonds Jonas Netter
Kat. 95 | S. 158

Madame Minoucha, 1916
Bleistift auf Papier
43,3 × 26,9 cm
Sammlung Rosalynn und Christoph Bacher
Kat. 45 | S. 104

Moïse Kisling, 1916
Bleistift auf Papier
41 × 25,5 cm
Privatsammlung
Kat. 15 | S. 70 l.

Das Dienstmädchen, um 1916
Öl auf Leinwand
92 × 54 cm
Minneapolis Institute of Arts. Schenkung Mr. und Mrs. Samuel Maslon
Kat. 54 | S. 113

Max Jacob, um 1916/17
Öl auf Leinwand
93 × 60 cm
Cincinnati Art Museum, Ohio, USA. Schenkung Mary E. Johnston
Kat. 17 | S. 71

Constant Lepoutre, 1917
Öl auf Leinwand
92 × 65 cm
Stiftungsfonds Jonas Netter
Kat. 51 | S. 110

Der Graf Wielhorski, 1917
Öl auf Leinwand
114 × 72 cm
Privatsammlung
Kat. 48 | S. 107

Die Algerierin (Almaïsa), 1917
Öl auf Leinwand
55 × 30 cm
Museum Ludwig, Köln
Kat. 117 | S. 182

Junge Frau im blauen Kleid, 1917
Öl auf Leinwand
61 × 46 cm
Privatsammlung
Kat. 18 | S. 73

Liegender Akt, 1917
Öl auf Leinwand
60 × 92 cm
The Metropolitan Museum of Art, New York.
Sammlung Mr. und Mrs. Klaus G. Perls
Kat. 38 | S. 94

Liegender Akt mit weißem Kissen, 1917
Öl auf Leinwand
60 × 92 cm
Staatsgalerie Stuttgart, erworben mit Lotto-Mitteln 1959
Kat. 40 | S. 96

Mädchen im gelben Kleid, 1917
Öl auf Leinwand
92 × 60 cm
Privatsammlung
Kat. 49 | S. 108

Mädchen mit Ponyfrisur, 1917
Öl auf Leinwand
55 × 38 cm
Courtesy of Galerie de la Béraudière, Brüssel
Kat. 94 | S. 157

Sitzender Akt, 1917
Öl auf Leinwand
115 × 72 cm
Koninklijk Museum voor Schone Kunsten, Antwerpen
Kat. 69 | S. 133

Liegender Akt (Lolotte), 1917/18
Öl auf Leinwand
65 × 92 cm
Privatsammlung
Kat. 37 | S. 92/93

Elvira mit weißem Kragen, 1917 oder 1918
Öl auf Leinwand
92 × 65 cm
Stiftungsfonds Jonas Netter
Kat. 50 | S. 109

Brustbild einer Frau (Variété-Sängerin), 1918
Öl auf Leinwand
61 × 38,5 cm
Privatsammlung, Ukraine
Kat. 102 | S. 165

Die Burgunderin, 1918
Öl auf Leinwand
55 × 38 cm
Privatsammlung, Schweiz
Kat. 53 | S. 112

Die junge Lolotte, 1918
Öl auf Leinwand
92 × 60 cm
Privatsammlung, Europa
Kat. 55 | S. 114

Hanka Zborowska, 1918
Bleistift auf Papier
42 × 26 cm
Stiftungsfonds Jonas Netter
Kat. 57 | S. 116

Jeanne Hébuterne, 1918
Öl auf Leinwand
100 × 65 cm
Stiftungsfonds Jonas Netter
Kat. 104 | S. 167

Junge Frau mit Schneckenfrisur, 1918
Öl auf Leinwand
46 × 33 cm
Privatsammlung
Kat. 97 | S. 160

Junge im gestreiften Pulli, 1918
Öl auf Leinwand
91,4 × 54,6 cm
The Metropolitan Museum of Art, New York.
Sammlung Jacques and Natasha Gelman
Kat. 56 | S. 115

Junger Mann mit Mütze, 1918
Öl auf Leinwand
61 × 37,8 cm
Detroit Institute of Arts. Legat Robert H. Tannahill
Kat. 100 | S. 163

Junger Mann mit Mütze, 1918
Bleistift auf Papier
42 × 26 cm
Stiftungsfonds Jonas Netter
Kat. 99 | S. 162

Madame Zborowska, 1918
Öl auf Leinwand
64,5 × 46 cm
Tate, London. Legat Mrs. A. F. Kessler
Kat. 101 | S. 164

Mädchen in Blau, 1918
Öl auf Leinwand
116 × 73 cm
Stiftungsfonds Jonas Netter
Kat. 41 | S. 101

Mädchen mit roten Haaren (Jeanne Hébuterne), 1918
Öl auf Leinwand
46 × 29 cm
Privatsammlung
Kat. 103 | S. 166

Porträt einer jungen Frau, um 1918
Öl auf Leinwand
65 × 50 cm
Musée des Beaux-Arts, La Chaux-de-Fonds
Kat. 19 | S. 74

Das schwarze Haar, 1918
Öl auf Leinwand
92 × 60 cm
Musée National Picasso-Paris,
ehemals Sammlung Picasso
Kat. 52 | S. 111

Weiblicher Halbakt, 1918
Öl auf Leinwand
100 × 65 cm
Albertina, Wien – Sammlung Batliner
Kat. 71 | S. 135

Dame mit blauen Augen, um 1918
Öl auf Leinwand
81 × 54 cm
Musée d'Art Moderne de la Ville de Paris.
Legat Docteur Maurice Girardin
Kat. 20 | S. 75

Hanka Zborowska, 1918/19
Öl auf Leinwand
55 × 39 cm
Privatsammlung
Kat. 98 | S. 161

Rothaarige Frau im weißen Hemd, 1918/19
Öl auf Leinwand
81,5 × 55,6 cm
Privatbesitz
Kat. 70 | S. 134

Annie Bjarne, 1919
Öl auf Leinwand
100 × 65 cm
Privatsammlung
Kat. 59 | S. 119

Jeanne Hébuterne, 1919
Öl auf Leinwand
92 × 54 cm
Onyx Art Collection
Kat. 58 | S. 117

Junge Frau mit blauer Bluse, 1919
Öl auf Leinwand
100 × 65 cm
Stiftungsfonds Jonas Netter
Kat. 44 | S. 103

Liegender Akt, den rechten Arm hinter den Kopf gebeugt, 1919
Öl auf Leinwand
73 × 116 cm
Privatsammlung
Kat. 39 | S. 95

PABLO PICASSO

Sich schminkender Harlekin, 1905
Gouache auf Karton
69 × 56 cm
Privatsammlung Marina Ruiz-Picasso
Kat. 9 | S. 64

Büste einer Frau (Fernande), 1906
Buchsbaum und Farbe
77 × 17 × 16 cm
Musée National Picasso-Paris
Kat. 10 | S. 65

Junge in kurzer Hose, 1906
Gouache auf Papier
62,2 × 41,9 cm
Privatsammlung, courtesy Richard Nagy Ltd., London
Kat. 11 | S. 66

Stehender weiblicher Akt
(Studie zu *Les Demoiselles d'Avignon*), 1906/07
Aquarell auf Papier
63,5 × 47,6 cm
Musée National Picasso-Paris
Kat. 12 | S. 67

Akt mit emporgehobenen Armen
(Studie zu *Les Demoiselles d'Avignon*), 1907
Gouache auf Papier
62,8 × 46,4 cm
Sainsbury Centre, University of East Anglia, Norwich
Kat. 33 | S. 88

Brustbild eines Mannes
(Studie zu *Les Demoiselles d'Avignon*), 1907
Öl auf Leinwand
56 × 46,5 cm
Musée National Picasso-Paris
Kat. 115 | S. 180

***Kleiner Akt in Rückenansicht mit emporgehobenen Armen* (Studie zu *Les Demoiselles d'Avignon*),** 1907
Öl auf Holz
19,1 × 11,5 cm
Musée National Picasso-Paris
Kat. 25 | S. 82

Kopf des Medizinstudenten
(Studie zu *Les Demoiselles d'Avignon*), 1907
Aquarell und Gouache auf Papier
60,3 × 47 cm
Museum of Modern Art, New York. A. Conger Goodyear Fonds
Kat. 110 | S. 176 l.

Studie zu *Die Schnitter (Ernte)*, 1907
Kohle auf Papier
48,4 × 62,7 cm
Musée National Picasso-Paris
Kat. 61 | S. 124

Studie zu *Freundschaft*, 1907/08
Feder und Tinte auf Papier
48 × 32 cm
Musée National Picasso-Paris
Kat. 66 | S. 130

Frauenkopf, 1908
Gouache auf Papier
62,5 × 47 cm
Landesmuseum Mainz
Kat. 113 | S. 178

Frauenkopf, 1908
Öl auf Leinwand
73,6 × 60,6 cm
Museum of Modern Art, New York.
Legat Florene May Schoenborn
Kat. 116 | S. 181

Karyatide, 1908
Eichenholz und Farbe
80,5 × 24 × 20,8 cm
Musée National Picasso-Paris
Kat. 26 | S. 83

Liegender Akt mit Figuren, 1908
Öl auf Holz
36 × 62 cm
Musée National Picasso-Paris
Kat. 63 | S. 126/127

Studie zu *Badende im Wald*, 1908
Bleistift und Kohle auf Papier
47,7 × 60,2 cm
Musée National Picasso-Paris
Kat. 62 | S. 125

Studie zu *Stehender Akt*, 1908
Bleistift auf Papier
32,8 × 25 cm
Musée National Picasso-Paris
Kat. 36 | S. 91

CONSTANTIN BRANCUSI

Danaïde, um 1927
Vintage-Silbergelatineabzug
23,3 × 17,9 cm
Sammlung David Grob
Kat. 125 | S. 188 r.

Der erste Schritt, um 1914
Vintage-Silbergelatineabzug
42,1 × 18 cm
Sammlung David Grob
Kat. 7 | S. 62

Weisheit der Erde, 1908
Vintage-Silbergelatineabzug
40 × 29,2 cm
Sammlung David Grob
Kat. 5 | S. 60

Baronin R. F. (Frauenkopf), 1909
Vintage-Silbergelatineabzug
29,4 × 21,7 cm
Sammlung David Grob
Kat. 119 | S. 184

Frau, sich in einem Spiegel betrachtend, 1909/1914
Vintage-Silbergelatineabzug
29,7 × 23,8 cm
Sammlung David Grob
Kat. 105 | S. 168

Dame mit Haarkamm oder
Profil einer Frau mit Chignon, um 1912
Gouache auf Papier
49 × 37 cm
Privatsammlung, Paris
Kat. 106 | S. 169

Mademoiselle Pogany I, 1913
Polierte Bronze mit schwarzer Patina
63,8 × 31,1 × 37,1 cm
Speed Art Museum, Louisville.
Legat Mrs. Mabel Hussey Degen
Kat. 123 | S. 187

Studie zu *Der erste Schritt*, 1913
Kreide auf Papier
82,1 × 38 cm
Museum of Modern Art, New York. Benjamin Scharps und David Scharps Fonds
Kat. 8 | S. 63

Mademoiselle Pogany (Frontalansicht), 1914/1920
Vintage-Silbergelatineabzug
30 × 22 cm
Sammlung David Grob
Kat. 122 | S. 186

Der Neugeborene [I], 1915
Marmor
14,6 × 21 × 14,9 cm
Philadelphia Museum of Art, Sammlung Louise und Walter Arensberg
Kat. 126 | S. 189

Mademoiselle Pogany (Dreiviertelansicht), 1920
Vintage-Silbergelatineabzug
23,8 × 17,8 cm
Sammlung David Grob
Kat. 121 | S. 185 r.

Mademoiselle Pogany II (Dreiviertelansicht), 1920
Vintage-Silbergelatineabzug
23 × 17 cm
Sammlung David Grob
Kat. 120 | S. 185 l.

Narziss, 1925
Vintage-Silbergelatineabzug
22,8 × 15,8 cm
Sammlung David Grob
Kat. 124 | S. 188 l.

ANDRÉ DERAIN

Das Paar (Die Zwillinge; Mann und Frau), 1907
Sandstein
39 × 23 × 24 cm
Lehmbruck Museum, Duisburg
Kat. 67 | S. 131

Die großen Badenden, 1908
Öl auf Leinwand
178 × 225 cm
Stiftungsfonds Jonas Netter
Kat. 60 | S. 123

AFRIKANISCHE PLASTIKEN

Maske, Fang, Gabun
Holz
34 × 21,5 × 15,6 cm
Musée du Quai Branly – Jacques Chirac, Paris
Kat. 114 | S. 179

Reliquienkopf, Fang, 19. Jahrhundert
Holz und Messing
26 × 11 × 12 cm
Sainsbury Centre, University of East Anglia, Norwich
(ehem. Sammlung Paul Guillaume)
Kat. 89 | S. 153

Anthropomorphe Maske, Gabun, 19. Jahrhundert
Holz, Farbe, Kupferlegierung, Pflanzenfaser und Spiegel
31 × 24 × 23 cm
Musée du Quai Branly – Jacques Chirac, Paris
(ehem. Sammlung Paul Guillaume)
Kat. 111 | S. 176 r.

Karyatidenhocker, Luba, Katanga, Kongo, vor 1915
Holz und Perlen
36 × 20 × 21 cm
Koninklijk Museum voor Midden-Afrika, Tervuren
Kat. 27 | S. 84

Karyatidenhocker, Luba, Katanga, Kongo,
vor 1919
Holz
45 × 18,3 cm
Koninklijk Museum voor Midden-Afrika, Tervuren
Kat. 24 | S. 81

FRÜHKYKLADISCHE PLASTIKEN

Figur, frühkykladisch, 2700–2300 v. Chr.
Marmor
Höhe: 23,7 cm
Szépművészeti Múzeum, Budapest
Kat. 42 | S. 102 l.

Weibliches Inselidol des Typus Louros, frühkykladisch,
2800–2700 v. Chr.
Marmor
28,6 × 6,2 × 2,8 cm
Skulpturensammlung, Staatliche Kunstsammlungen Dresden
Kat. 2 | S. 58

Weibliches Inselidol mit verschränkten Armen, frühkykladisch, 2700–2400 v. Chr.
Marmor
22 × 6,3 × 4,1 cm
Skulpturensammlung, Staatliche Kunstsammlungen Dresden
Kat. 47 | S. 106

OSTASIATISCHE PLASTIKEN

Weiblicher Kopf, Angkor, Bayon-Stil, Ende 12./Anfang 13. Jahrhundert
Sandstein
33 × 19 × 19 cm
Musée National des Arts Asiatiques – Guimet, Paris
Kat. 85 | S. 149

Fotonachweis

Abelló Collection, Foto: Joaquín Cortés: S. 40 l., 40 r.
Alsdorf Collection: S. 156
Koninklijk Museum voor Schone Kunsten, Antwerpen, www.lukasweb.be – Art in Flanders, Foto: Rik Klein Gotink: S. 133
Friedrich Teja Bach: S. 49 M., 49 r.
Courtesy Galerie de la Béraudière, Brüssel: S. 157
Museum of Fine Arts, Budapest, Foto: László Mátyus: S. 102 l.
Privat Image, courtesy James Butterwick Gallery: S. 79
Fitzwilliam Museum, University of Cambridge: S. 155
National Gallery of Australia, Canberra / Bridgeman Images: S. 47 r.
Musée des Beaux-Arts, La Chaux-de-Fonds, Foto: Pierre Bohrer, Le Locle: S. 74
Christie's Images / Bridgeman Images: S. 42 r.
Christie's Images / Scala, Florenz: S. 119, 134
Cincinnati Art Museum, Ohio / Bridgeman Images: S. 71
Detroit Institute of Arts / Bridgeman Images: S. 163
Skulpturensammlung, Staatliche Kunstsammlungen Dresden, Foto: Hans-Peter Klut / Elke Estel: S. 58, 106
Lehmbruck Museum, Duisburg, Foto: Bernd Kirtz: S. 131
Kunstsammlung Nordrhein-Westfalen, Düsseldorf: S. 175
DeAgostini Picture Library / Scala, Florence: S. 41 l., 41 3. v. l., 45 r., 77
Scala, Florenz: S. 23 l. u., 56
Musée d'Art et d'Histoire, Ville de Genève, Foto: David Douglas Duncan: S. 28
Collection David Grob: S. 60, 62, 168, 184, 185 l., 185 r., 186, 188 l., 188 r.
Museum of Fine Arts, Houston / Museum purchase funded by Oveta Culp Hobby / Bridgeman Images: S. 48 l.
bpk / Staatliche Kunsthalle Karlsruhe / Foto: Wolfgang Pankoke: S. 143
Museum Ludwig, Köln / Rheinisches Bildarchiv: S. 34; Foto: Sabrina Walz: S. 182
Statens Museum for Kunst, Kopenhagen: S. 141
Sheldon Museum of Art, University of Nebraska, Lincoln, NE: S. 48 r.
Archive Amadeo de Souza-Cardoso – Gulbenkian Foundation Art Library, Lissabon: S. 51, 198 o.
Courtesy Richard Nagy Ltd., London: S. 66
Courtesy Nathanson Fine Art, London: S. 58, 85 l., 102 r., 129, 140, 142 l., 142 r., 147 l., 148 l., 148 r.
Tate, Foto: Tate, London 2019: S. 132, 164
Foto: Jean-Louis Losi Photographe, Paris: S. 92–93
Collection of the Speed Art Museum, Louisville, KY: S. 187
GDKE_Landesmuseum Mainz, Foto: Ursula Rudischer: S. 178
MuCEM, Dist. RMN-Grand Palais / image MuCEM, Musée des Civilisations de l'Europe et de la Méditerranée, Marseille: S. 16
Foto: Yamazaki Mazak Corporation: S. 26 l. o.
Minneapolis Institute of Art / Bridgeman Images: S. 113, 146
Fonds de dotation Jonas Netter: S. 68, 69, 87, 101, 103, 109, 110, 116, 123, 151, 158, 162, 167
The Metropolitan Museum of Art, New York: S. 194 l. o. / bpk: S. 94, 145, 171, 194 r. o. / bpk, Foto: Malcolm Varonka: S. 115
Digital image, The Museum of Modern Art, New York/Scala, Florenz: S. 20, 21, 47 l., 47 M., 63, 90, 176 l., 181
Sainsbury Centre, University of East Anglia, Norwich: S. 88, 153

Ministère de la Culture – Médiathèque de l'Architecture et du Patrimoine, Paris, Dist. RMN-Grand Palais / image Médiathèque du Patrimoine: S. 14
Musée d'Art Moderne de la Ville de Paris: S. 75 ; Paris Musées, Dist. RMN-Grand Palais / image Ville de Paris: S. 122
Musée Carnavalet – Histoire de Paris, Paris, CCØ Paris Musées: S. 17 r. o., 18 r.; Dist. RMN-Grand Palais / image Ville de Paris: S. 4, 200
Musée du Louvre, Paris, Dist. RMN – Grand Palais / Daniel Lebée / Carine Déambrosis: S. 100
Musée National des Arts Asiatiques – Guimet, Paris, RMN-Grand Palais (MNAAG, Paris), Foto: Michel Urtado: S. 149; image Musée Guimet: S. 18 l.
Musée National d'Art Moderne – CCI, Centre Pompidou, Paris, Dist. RMN – Grand Palais / Foto: Philippe Migeat: S. 23 r. o., 35 l., 46 M., 46 r., 207; Georges Meguerditchian: S. 25, 46 l., 201 o.; image Centre Pompidou, MNAM-CCI: S. 137; Adam Rzepka: 49 l.; Bibliothèque Kandinsky, Dist. RMN-Grand Palais / Fonds Marc Vaux: S. 10
Musée National Picasso-Paris, RMN – Grand Palais / Foto: Thierry Le Mage: S. 67, 91; Michèle Bellot: S. 124, 125; Adrien Didierjean: S. 27 r. u., 30, 32, 35 r., 111, 126–127, 180; David Douglas Duncan: S. 208–209; Béatrice Hatala: S. 130; Thierry Le Mage: S. 201 u.; Mathieu Rabeau: S. 65, 83, 27 l. o., 35 M.; Franck Raux: S. 82; image RMN – GP: S. 33, 36 l., 36 M., 36 r.
Musée de l'Orangerie, Paris, RMN – Grand Palais / Archives Alain Bouret, image Dominique Couto: S. 192, 197 u., 204–205; Archives Jean Bouret-Paul Guillaume: S. 203
Musée du Quai Branly – Jacques Chirac, Paris, Dist. RMN – Grand Palais / Foto: Claude Germain: S. 179; Patrick Gries / Bruno Descoings: S. 176 r.; image Musée du Quai Branly – Jacques Chirac: S. 15, 17 l. u., 41 2.v.l., 42 l., 43 l., 121
RMN – Grand Palais (MNAAG, Paris) / Thierry Ollivier: S. 78
Philadelphia Museum of Art: S. 86 l., 144, 189; bpk / Art Resource, NY: S. 43 r.
Marc Restellini: S. 22; Foto: Fonds Hébuterne – Fabrice Gousset: S. 206
Roger-Viollet / Roger-Viollet: S. 193 u., 194 u.
Mr. and Mrs. James Rothschild Collection, Foto: Steven Probert: S. 89
Musée des Beaux-Arts, Rouen/C. Lancien, C. Loisel / Réunion des Musées Métropolitains Rouen Normandie: S. 24, 45 l., 59, 80 r., 147 r.
Nicolas Roux dit Buisson: S. 152
Private collection of Marina Ruiz-Picasso: S. 64, 105
San Francisco Museum of Modern Art, Foto: Ben Blackwell: S. 194 o. M.
Sotheby's: S. 26 r. u.
bpk / Staatsgalerie Stuttgart: S. 96
Koninklijk Museum voor Midden-Afrika, Tervuren, Foto: J.-M. Vandyck: S. 81; R. Asselberghs: S. 84
Triton Collection Foundation: S. 183
Albertina, Wien, Sammlung Batliner: S. 135, Foto: Peter Ertl / Olga Pohankova: S. 154 l., 154 r.
FOWATO – Walter Zarbl: S. 104
Kunsthaus Zürich, Sammlung Gabriele und Werner Merzbacher: S. 41 r.
Onyx Art Collection, Foto: Peter Schälchli, Zürich: S. 117

Seite 4: Amedeo Modigliani, Pablo Picasso und André Salmon vor dem Café de La Rotonde, Montparnasse (Detail), 12. August 1916, Musée Carnavalet – Histoire de Paris
Seite 7: Amedeo Modigliani, *Selbstbildnis als Pierrot*, 1915 (Detail aus Kat. 74)
Seite 8: Amedeo Modigliani, *Pablo Picasso*, 1915 (Detail aus Kat. 72)
Seite 10: Amedeo Modigliani, 1918, Centre Pompidou – Musée National d'Art Moderne / CCI – Bibliothèque Kandinsky, Paris
Seite 30: Pablo Picasso, *Sitzende Frau mit erhobenen Armen*, 1940 (Detail aus Abb. 6, S. 35)
Seite 38: Amedeo Modigliani, *Constantin Brancusi*, 1909 (Detail aus Abb. 2, S. 40)
Seite 52–53: Amedeo Modigliani, *Karyatide*, um 1912–1914 (Detail aus Kat. 30)
Seite 54: Amedeo Modigliani, *Karyatide*, um 1913 (Detail aus Kat. 32)
Seite 76: Amedeo Modigliani, *Auf einem Sockel sitzende Karyatide*, um 1911 (Detail aus Kat. 29)
Seite 98: Amedeo Modigliani, *Die schöne Konditorin*, 1916 (Detail aus Kat. 46)
Seite 120: Amedeo Modigliani, *Karyatide mit Vase*, um 1914 (Detail aus Kat. 68)
Seite 136: Amedeo Modigliani, *Studie eines Kopfes*, um 1911 (Detail aus Kat. 76)
Seite 170: Anthropomorphe Maske, Gabun, 19. Jahrhundert (Kat. 111)
Seite 190–191: Amedeo Modigliani, *Liegender Akt*, 1919 (Detail aus Kat. 39)

Diese Publikation erscheint anlässlich der Ausstellung

Modigliani. Revolution des Primitivismus

Albertina, Wien
17. September 2021 – 9. Januar 2022

562. Ausstellung der Albertina

Jahrespartner der Albertina

Partner der Albertina

Sponsoren der Ausstellung

AUSSTELLUNG

Generaldirektor
Klaus Albrecht Schröder

Kurator
Marc Restellini

Assistent*innen des Kurators
Ekaterina Bembel, Hadrien Restellini, Marie Christine Decroocq, Victoria Le Boloc'h-Salama, Claire Martineau

Assistenzkuratorin, Albertina
Gunhild Bauer

Ausstellungsorganisation
Barbara Buchbauer, Kristin Jedlicka

Restauratorische Betreuung
Christina Schaaf-Fundneider, Karine Bovagnet, Magdalena Duftner, Letizia Fischer, Ute Kannengießer, Brigitte Proll, Klaus Mohideen-Rubitzko, Ida Rupp

Ausstellungsgestaltung
Martin Kohlbauer

Diese Ausstellung wurde mit außerordentlicher Unterstützung des Musée National Picasso-Paris realisiert.

KATALOG

Herausgeber
Marc Restellini

Assistent*innen des Herausgebers
Hadrien Restellini, Claire Martineau

Redaktion
Gunhild Bauer

Produktionsleitung
Sandra Maria Rust

Projektmanagement
Cordula Gielen, Hirmer Verlag

Übersetzung aus dem Französischen
Eliane Hagedorn, Barbara Reitz, Nikolaus G. Schneider

Lektorat
Katrin Boskamp-Priever, Bremen

Gestaltung
Klaus E. Göltz, Halle an der Saale

Lithografie
Reproline mediateam GmbH & Co. KG, Unterföhring

Schrift | Papier
Myriad | Gardamatt ultra 170 g/m^2

Produktion
Sophie Friederich, Hirmer Verlag

Druck und Bindung
Passavia Druckservice, Passau

Printed in Germany

Bibliografische Information der Deutschen Nationalbibliothek: Die Deutsche Nationalbibliothek verzeichnet diese Publikation in der Deutschen Nationalbibliografie; detaillierte bibliografische Daten sind im Internet über http://www.dnb.de abrufbar.

ISBN 978-3-7774-3867-2 (deutsche Museumsausgabe)
ISBN 978-3-7774-3868-9 (englische Museumsausgabe)
ISBN 978-3-7774-3564-0 (deutsche Buchhandelsausgabe)
ISBN 978-3-7774-3566-4 (englische Buchhandelsausgabe)

www.hirmerverlag.de

Umschlagvorderseite: Amedeo Modigliani, *Sitzender Akt*, 1917 (Detail aus Kat. 69)
Umschlagrückseite: Pablo Picasso, *Brustbild eines Mannes* (Studie zu *Les Demoiselles d'Avignon*), 1907 (Kat. 115)
Frontispiz: Amedeo Modigliani, *Große rote Büste*, 1913 (Detail aus Kat. 1)